KB014650

자랑스러운 내가 되고 싶어…….

옛 원칙의 마법기사

The fairy knight lives with old rules

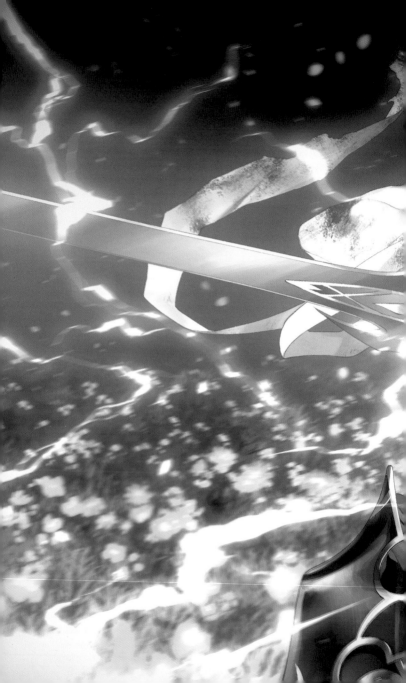

기사는 진실만을 말한다.
A Knight Tells Only the Truth

그 마음에 용기의 불을 밝히어.
Their Bravery Glimmers in Their Hearts

그 검은 약자를 지키고.
Their Swords Defend the Defenseless

그 힘은 선을 지지하며.
Their Power Sustains Virtue

그 분노는— 악을 멸한다.
And Their Anger...Destroys Evil

옛 원칙의 마법기사

The fairy knight lives with old rules

히츠지 타로 지음
토사카 아사기 일러스트
송재희 옮김

The fairy knight lives
with old rules

앨빈

엘바니아 왕국의 왕자. 기사가 되어 왕위 계승
권을 얻고 사양길인 조국을 구하기 위해 시드
에게 가르침을 받는다.

시드

「전설 시대 최강의 기사」라고 칭송받았던 남자.
현대에 되살아나 낙오자가 모인 블리체 학급의
교관이 된다.

이자벨라

반인반요정족 여성. 옛 맹약에 따라 캘바니아
왕가를 수호하며 반인반요정의 힘을 빌려주는
호반의 여인들의 수장.

텐코

귀미인이라고 불리는 아인족 소녀. 앨빈의 아
버지에게 거둬져 앨빈과는 자매처럼 자랐다.

STUDENT

크리스토퍼

저 먼 시골 농가의 아들. 스스로 아군의 방패가
되는 등 터프한 싸움 방식이 특기이다.

일레인

명문 기사 집안 출신의 귀족 영애였다. 검격은
최하위지만 이론이나 검술은 학교 내에서 정
상급.

세오도르

빈민가의 고아원 출신으로 지적인 외모와 어
울리지 않게 상당한 불량소년. 실은 소매치기
가 특기이다.

리네트

가난한 몰락 귀족의 장녀. 동물에게 사랑받는
타입으로 승마 실력은 블리체 학급 제일.

요정검

굿 펠로

옛 맹약에 따라, 사람의 좋은 이웃인 요정들이 검으로 화신한 존
재. 기사는 이 요정검을 손에 들어서 신체 능력과 자기 치유 능력
을 향상하고 다양한 마법의 힘을 행사할 수 있다.

블리체 학급

캘바니아 왕립 요정기사 학교에 존재하는 기사 학급 중 하나. 자
유와 양심을 존중하며 자기 자신이 믿는 정의와 신념을 중시한다.
막 신설된 학급이라 학생의 경향은 논할 수 없지만, 굳이 따지자
면 개성이 풍부하다. 《야만인》 시드 블리체의 이름을 따왔다.

캘바니아성과 요정계

왕국을 세웠을 때 호반의 여인들과 거인족 장인들이 힘을 합쳐
건축했다고 한다.
사람이나 동물 같은 물질적 생명이 사는 《물질계》와 요정이나 요
마와 같은 개념적 생명이 사는 《요정계》라는 두 세계가 존재하
고, 캘바니아성은 그 사이에 있다.

제1장 새로운 음모

"항복해라! 너희의 악역무도함은 더 이상 용납하기 어렵다!"

소년의 목소리가 어떤 지방 마을의 광장에 늠름하게 울려 퍼졌다.

캘바니아 왕립 요정기사 학교의 종기사 예장^{스콰이어}을 갖춘 **소년**이었다.

비단실 같은 부드러운 금발. 청옥색 눈.

소녀로 오인할 만큼 아름답고 반듯한 얼굴은 선이 가늘었고, 몸도 아담하며 호리호리했다.

하지만 서늘한 패기가 넘쳐흐르는 그 모습은 믿음직했다.

그 **소년**은 현란하게 장식된 세검^{레이피어}을 뽑아 눈앞에 있는 무뢰한들에게 그 칼끝을 위풍당당하게 겨누고 있었다.

"그러나 나는 관대하다! 항복에 응한 자는 캘바니아 왕국 차기 왕, 앨빈 노르 캘바니아의 이름으로 죄를 한 단계 낮춰 주겠다! 어찌하겠느냐?!"

그렇게 일방적으로 항복 권고를 받은 무뢰한들─ 게일 산적단의 산적들은 얼굴이 시뻘게져서 격분했다.

"애송이가 우습게 보네……!"

"죽여 버리겠어!"

산적들은 도끼, 검, 창, 활 등등…… 저마다의 무기를 들었다.

그것들은 **평범한 무기가 아니었다.**

그렇기에 **소년**의 항복 권고에 응하는 자는 아무도 없었다.

─그런 광장의 모습을.

"자, 그럼. 솜씨를 보기로 할까, 나의 주군."

흑발 흑안의 청년 기사─ 시드가 바라보고 있었다.

광장에서 떨어져 있는 어떤 풍차 방앗간의 옥상.

사각.

누워서 버릇없이 사과를 베어 무는 시드의 옆모습은 어딘가 즐거워 보였다.

───────.

캘바니아 왕국, 남서쪽에 존재하는 알로르 지방.

레모 산간과 깊은 삼림에 둘러싸인 지방 마을 노알레.

토지 특성상 살기 좋은 곳이라고는 할 수 없지만, 선왕이 국책으로 개간한 넓은 밭과 인근 숲에서 나는 먹거리들 덕분에 배는 곯지 않는 마을이었다.

그런 마을을 게일 산적단은 **여느 때처럼** 습격했다.

게일 산적단은 레모 산간에 근거지를 둔 수십 명 규모의 산적단이었다.

알로르에 존재하는 마을들을 닥치는 대로 습격해 약탈과 납치를 일삼는 악랄한 집단이었다.

퇴물 용병, 몰락 기사, 현상금이 걸린 범죄자로 구성되어 있었고, 최근에는 **어떤 연줄**을 통해 원조를 받아 **특수한 무기**를 얻기에 이르렀다.

이제 마을 자경단은 도저히 대처할 수 없는 전력을 얻은 악몽 같은 존재였다.

그러나 거리낌 없이 알로르를 유린하던 게일 산적단은 오늘 평소와 다른 사태에 직면했다.

놀랍게도 그들과 맞서 싸우려고 하는 자들이— 캘바니아 왕립 요정기사 학교 블리체 학급^{클래스}의 학생들이 있었던 것이다.

─────.

"어, 어쩔까요? 두목. 기사들이 나타났는데요."

산적 중 한 명— 신경질적으로 보이는 남자가 자신들의 두목에게 시선을 보냈다.

"……흥."

그러자 산적들의 두목— 딱 봐도 야비해 보이는 수염 난 거한 게일이 짜증스레 주위를 둘러보고 콧방귀를 뀌었다.

지금 산적들은 마을의 중앙 광장으로 유인당해 기사들에

게 포위된 상태였다.

게일은 그 건방진 기사들의 얼굴을 하나하나 둘러보았다.

다들 젊었다.

세검을 든, 마치 여자처럼 예쁘장하게 생긴 소년.
_{레이피어}

칼집에 담긴 칼을 잡고서 자세를 낮추고 몸을 살짝 옆으로 튼 귀미인 소녀.

대검을 어깨에 걸친 촌놈 같은 소년.
_{클레이모어}

한손반검을 거들먹거리며 든, 귀족 영애 같은 소녀.
_{바스타드 소드}

매달리다시피 창을 잡고서 흠칫거리고 있는 소녀.

소검을 든, 얄밉게 생긴 안경 쓴 소년.
_{쇼트 소드}

"헹! 별것도 아니네. 전부 애송이고, 그것도 고작 여섯 명이잖아."

게일은 침을 뱉고서 내씹었다.

"이 녀석들은 서훈받은 정기사가 아니야. 종기사야."
_{나이트　　　　　스콰이어}

"요컨대……?"

"우리의 적수가 안 된다는 거지."

게일이 자신의 무기— **꺼림칙한 검은 도끼**를 어깨에 걸치고서 히죽 웃었다.

"그리고 봐. 여자들은 전부 상등품이야. ……저건 비싸게 팔리겠어."

"헤헤…… 그 전에 우리도 이것저것 즐길 수 있을 것 같고 말이죠."

비열하게 웃고서 게일은 주위에 있는 부하들에게 큰 소리로 명령했다.

"가자, 애들아! 세상 물정 모르는 애송이들에게 본때를 보여 줘라!"

"""""으으으으으으으으으으으으―!"""""

부하들이 함성을 지르며 자신들을 포위한 기사 지망생들에게 일제히 돌진했다.

그들의 야수 같은 움직임은 명백히 인간의 신체 능력을 크게 능가해 있었다.

그도 그럴 것이 그들이 손에 든 무기는― **어둠의 요정검**이었다.

검격이 낮기에 정신 오염의 강도는 그리 크지 않지만, 원래부터 성품이 비열한 인간이 휘두른다면 별반 차이는 없었다.

"요정검을 들고 있어도 어차피 애송이야! 평소처럼 포위해서 패 버리면 돼!"

그리고 그들은 아마추어 집단이 아니었다. 전투에 익숙한 프로 집단이었다.

오랫동안 싸움을 경험하지 못하여 평화에 찌든 현대의 기사들과는 경험치가 압도적으로 달랐다.

실제로 그들은 지금까지 요정검을 가진 기사를 여러 명 쓰러뜨렸다.

하물며 오늘 싸울 상대는 서훈도 못 받은 어린애였다.
전혀 무서워할 필요가 없었다.

승리를 확신한 자 특유의 노도와 같은 기세와 박력.

게다가 악인으로 전락한 자 특유의 잔인한 악의와 살의.

그것들이 해일이 되어 종기사 소년 소녀들에게 밀려들었다.

"⋯⋯!"

생사를 가르는 전장에서 처음으로 인간의 어두운 면을 접한 소년 소녀들은 일순 압도당한 것처럼 몸을 굳혔고―.

코오―.

특수한 율동의 호흡음 여섯 개가 산적들의 귀에 희미하게 들린 찰나―.

"하앗―!"

"이이이이야아아아아아―!"

쿵!

"으아아아아아?!"

"으악―?!"

충격음과 함께 앞장섰던 산적들 몇 명이 하늘을 날았다.

"뭐, 뭐야?!"

그 광경을 보고 게일은 눈을 부릅떴다.

종기사라고 깔봤던 애송이들이 각자의 무기를 일섬, 달려드는 산적들을 나뭇잎처럼 날려 버리고 있었다.

"다들 가자! 백성을 위협하는 무뢰한들을 한 명도 놓치지 마!"

주위에 또렷하게 울리는 호령과 함께 여자처럼 생긴 **소년**이 돌격해 왔다.

"네! 앨빈!"

반대쪽에서 귀미인 소녀도 돌격해 왔다.

"와, 왔다?!"

"포위해! 포위해!"

그런 두 사람을 산적들이 즉각 포위해 나갔다.

기선을 제압하진 못했지만, 그 솜씨와 움직임은 산적답지 않을 만큼 세련되었고 통솔이 잡혀 있었다.

아무리 요정검을 가진 기사여도 눈은 앞에만 달렸다.

정면에서 압력을 가해 주의를 끌고, 그 틈에 측면과 배후에서 달려들면, 기사라고 해도 의외로 쉽게 제압할 수 있었다.

이번에도 그 이론을 따라, 여자처럼 생긴 소년을 두 산적이 정면에서 견제하고.

그 틈에 다른 산적들이 좌우와 배후에서 무기를 휘둘렀다.

어둠의 요정검으로 강화된 신체 능력을 사용한 그 연계는 위협적이었다.

하지만—.

"흡—!"

마치 전후좌우에 눈이라도 달린 것처럼.

여자처럼 생긴 소년— 앨빈은 세검을 휘둘러 산적들의 공격에 대응했다.

시차를 두고 좌우에서 달려든 검을 세검으로 받아넘기고, 막고.

배후에서 육박한 도끼 일격을 몸을 틀어 튕겨 냈다.

무기와 무기가 맞물릴 때마다 금속음이 나며 불꽃이 명멸했다.

앨빈의 그 모습은 마치 빠르고 경쾌하게 춤추고 있는 것 같았다.

"—순풍을 일으켜라!"

춤추는 와중에 앨빈이 고대 요정어를 외쳐 요정마법을 발동.

바람이 일며 앨빈의 움직임이 더 빨라졌다.

폭풍처럼 가해지는 산적들의 공격 사이를 누비듯 세검이 지나갔다.

그 칼끝이 전후좌우에 있는 산적들의 팔을, 배를, 다리를 날카롭게 꿰뚫었다.

"어윽?!"

"으아악?!"

산적들이 한 명씩 쓰러졌다.

소년은 질풍 같은 발놀림과 검술로 산적들을 차례차례 해치워 나갔다.

"이이이이야아아아아아—!"

한편 귀미인 소녀— 텐코 쪽의 상황도 비슷했다.

역시 전방위에 눈이라도 달린 것처럼 움직이며 산적들의 공격에 대응했다.

그리고— 텐코가 빛을 번쩍이며 발도했다.

"타올라라, 검!"

허리를 틀어서 폭발적으로 가속 회전하는 참격.

그 궤적이 붉게 타오르며 텐코를 에워싼 산적들의 무기를 순식간에 깨부쉈다.

"헉……."

"……방금 무슨 일이……?"

너무나도 위협적인 속도와 위력을 가진 일격이었다.

흩날리는 불꽃을 멍하니 바라보는 산적들에게.

"하앗!"

텐코가 다시 회오리바람처럼 가차 없이 칼을 휘둘렀다.

산적 세 명이 순식간에 칼에 베였고, 이어서 두 명이 더 베어 쓰러졌다.

"이, 이 녀석들 뭐야……?!"

"가, 강해……!"

"심지어 시야가 장난 아니게 넓어……!"

산적들이 벌벌 떨며 두려워했다.

"평소에는 시드 경을 상대하고 있으니까!"

"네! 스승님은 엄청난 속도로 전방위에서 공격해 오니까요!"

툭!

싸움의 흐름 속에서 앨빈과 텐코가 합류하여 등을 맞댔다.

그리고 우왕좌왕하는 산적들에게 둘이서 연계하여 달려들었다.

산적들이 허수아비처럼 픽픽 쓰러져 갔다.

위협적인 것은 그런 앨빈과 텐코뿐만이 아니었다.

"크윽─?!"

"애송이 주제에 건방 떨지 마……!"

귀족 영애 같은 소녀─ 일레인은 몸을 활처럼 젖히고 검이 완전히 막힌 상태였다.

"멍청하기는! 결국 계집이니 근접전이 되면 우리가 유리해……!"

"지금이다! 해치워! 나중에 안 꼴리니까 얼굴은 상처 입히지 마!"

"그래!"

그런 일레인에게 몰려들듯 양 측면과 배후에서 산적들이 달려들었다.

아름다운 여자를 일방적으로 혼쭐낼 기회라며…… 저급한 희열을 얼굴에 드러내고서.

하지만―.

"―진짜 당한 줄 알았나요? 흘러서 ^{플로앤슬래}찢어발겨라."

일레인이 윙크하며 장난스럽게 고대 요정어를 중얼거린 순간.

촤악!

갑자기 일레인의 한손반검의 도신에서 물이 나왔고― 그 물이 날카로운 칼날이 되며 길어져서 채찍처럼 주위를 선회했다.

"흐억?!"

"으아아아아아아아악―?!"

파랑 요정마법 【수룡검(水竜劍)】.

예비 동작 없이 검을 휘두르지도 않고 물로 가하는 고속 참격이었다.

온몸을 난도질당한 산적들이 피를 뿌리며 쓰러졌다.

"죄송해요. 사실 이 거리는 제가 가장 잘 싸우는 거리예요."

검에 맺힌 물방울을 휙! 털어 내고서 일레인이 의기양양하게 말했다.

"우아하게 자유자재로 모습을 바꾸며 싸우면 지지 않아

요. 이렇게까지 해도 전혀 당해 낼 수 없는 분이 한 명 있지만 말이죠."

일레인이 우아하게 검을 휘둘렀다.

도신에서 뻗어 나온 물 칼날이 자유롭게 모습을 바꾸며 등을 보이고 도망치는 산적들을 차례차례 베었다.

"으랴아아아아아아—!"

"죽어라, 어린놈의 자식아아아아아아—!"

산적들이 사방팔방에서 휘두른 무기가 소년에게 완전히 명중했다.

도끼가 소년의 머리를, 검이 소년의 배를, 창이 소년의 등을 가격했다.

그 소년만큼은 다른 이들에 비해 움직임이 영 아마추어 같았다.

포위해서 일제히 공격하면 대응하지 못할 거라는 산적들의 노림수는 적중했다.

적중하긴 했지만.

"아프잖아, 자식아……!"

"뭐, 뭐야?!"

그 소년— 크리스토퍼는 자신에게 무기를 휘두른 산적들을 노려보았다.

급이 낮긴 해도 산적들이 들고 있는 검과 도끼는 어둠의 요정검. 통상적인 무기와는 비교가 안 되는 위력을 가지고 있었다.

그런데— 소년에게는 조금도 통하지 않았다.

자세히 보니 무기가 명중한 부분이 석판에 덮여 있었다.

"뭐, 교관님의 엄청 묵직한 공격과 비교하면 모기에 물린 거나 다름없지만!"

씩 웃고서 크리스토퍼가 외쳤다.

"금강의 힘을 나에게 부여하라!"

초록 요정마법 【금강력(金剛力)】 발동.

크리스토퍼의 양팔에 대지의 힘이 차오르며 완력이 강화되었고—.

"오오오오오아아아아아아아아아아아아—!"

그대로 대검을 붕 휘두르자— 충격음.

""""으아아아아아아아아아아악—?!""""

산적들의 무기가 모조리 파괴되었다.

마치 뻥 걷어차인 공처럼 산적들은 하늘로 날아갔다.

"아, 안 되겠어! 이 녀석들 평범한 어린애가 아니야!"

"다가가지 마! 화살! 화살을 쏴!"

학생들의 맹공에 완전히 우왕좌왕 상태에 빠진 산적들이 전법을 바꿨다.

활 형태의 요정검을 가진 산적들이 차례차례 화살을 쐈다.

발사된 화살은 위협적인 속도와 정확도로 산적들에게 맞서는 앨빈 일행에게 쏟아졌지만―.

화륵!

갑자기 일어난 화염 폭풍이 그 무수한 화살을 모조리 불태웠다.

"……흥. 예상대로 약았네."

살펴보니 안경 쓴 소년― 세오도르가 후방에서 소검을 들고 있었다.

그 소검의 칼끝에서 불이 타오르고 있었다.

"칫. 짜증 나게! 저 녀석, 화력마법형 검을 가졌어!"

"문제없어! 한 방 먹을 각오로 돌격해서 근접전으로 만들면 돼!"

"저렇게 검이 짧으니 백병전이 되면 이길 수 있어!"

역시 많이 싸워 본 산적들은 좋은 판단을 내렸다.

목표를 특정할 수 없도록 흩어져서― 세오드르에게 달려갔다.

어중간한 화력으로는 대처할 수 없는 상황이었다.

원래 요정검을 가진 자는 검의 가호로 마법 방어력이 높다. 한두 명을 쓰러뜨려도 다른 산적들이 세오도르에게 도달한다.

"—어중간한 **화력**이라면 그렇겠지."

세오도르는 자신에게 다가오는 산적들을 냉담한 눈으로 흘겨보며 안경을 올렸다.

그리고 외웠다.

크리메테위프라이
"**화염으로 장송하라.**"

그 순간, 세오도르가 앞으로 내민 칼끝에 압도적인 열량이 서렸다.

불덩이가 만들어지며 주위가 붉게 빛났고— 사출.

불덩이는 호를 그리며 고속으로 날아가 산적들 한가운데에 떨어졌다.

대폭발이 발생하며 불기둥이 솟구쳤다.

어마어마한 압력과 화염이 산적들을 사방팔방으로 날려보냈다.

"으아아아아아아아악—?!"

"뜨, 뜨, 뜨거워어어어어—?! 히이이이이이이익—?!"

산적들은 불타며 데굴데굴 굴렀다.

"아, 아아……."

"어떻게 이런 화력이……."

빨강 요정마법 【화장구(火葬球)】. **어중간하지 않은 화력**을 목도한 산적들 중에서 여전히 세오도르에게 접근하려고 하는 기개 있는 자는 한 명도 없었다.

"……이 정도면 됐지?"

세오도르는 한숨을 쉬며, 지금 자신들의 싸움을 멀리서 태평하게 지켜보고 있을 교관에게 투덜거렸다.

그리고 더 큰 화염을 도신에서 만들어 산적들에게 공격을 퍼부었다.

"꺄아아아악—?! 싫어, 하지 마아아아아아—!"

날카로운 소녀의 비명과 울음소리가 전장에 울려 퍼졌다.

"제발 용서해 주세요오오오오오! 목숨만은 살려 주세요오오오오!"

인간의 어둠과 잔혹함이 드러나는 전장에서 그런 애원이 통한 적은 동서고금을 막론하고 없다.

그렇기에 공포와 절망에 물든 그 목소리를 듣는 자는 상상할 것이다. ……그 목소리 주인의 불쌍하고 비참한 말로를.

하지만 그 목소리의 주인은 울면서 창을 휘두르는 소녀, 리네트였고.

그녀 주위에 있는 산적들은 절망한 표정과 목소리로 이렇게 신음했다.

"오히려 우리를 살려 줘……."

실펴보니 그들의 모습은 각양각색이었다.

"으헷, 헤헷, 으히히, 으하하……."

어떤 이는 머리에 버섯이 나서 완전히 맛이 가 있었고……

"지, 진짜 꿈쩍도 안 해…… 손가락조차……."

어떤 이는 마비독을 가진 장미가 전신에 꽂혀서 축 늘어져 있었다.

"으억—?! 흐어어어억—?!"

또 어떤 이는 수많은 나뭇잎이 온몸에 붙어서 공이 되어 굴러갔고…….

"싫어어어어—! 내려 줘어어어어어어—!"

또 어떤 이는 덩굴로 귀갑 묶기를 당해 거꾸로 매달려 있었다.

"zzz……."

수면꽃에 둘러싸여 그 향기에 잠든 자는 이 중에서 가장 행복한 자였다.

전부 리네트의 요정마법이었다.

리네트는 처음부터 소극적인 모습을 보여서 산적들도 가장 제압하기 쉬운 상대라고 판단했다.

하지만 막상 싸움이 시작되니 이 꼴이었다.

리네트가 꺅꺅거리며 창을 휘두르면 대참사가 일어났다.

오히려 무슨 짓을 할지 예상할 수 없는 만큼 종기사 중에서 가장 성가신 상대라고 할 수 있었다.

"너, 너의 요정검은 대체 얼마나 많은 식물을 조종해야 직성이 풀리는 거야?!"

"히이이이이익?! 오지 마, 멈춰, 다가오지 마아아아아아!"

리네트가 창을 휘둘렀다.

그 창끝에서 생겨난 가시 채찍이 덩굴로 손발이 묶여 나뒹구는 불쌍한 산적을 때렸다.

"아, 아파아아아아아아—!"

"제발 살려 주세요! 목숨만은 살려 주세요오오오오오!"

찰싹! 찰싹!

리네트가 목숨을 구걸하며 휘두르는 가시 채찍이 움직이지 못하는 산적을 계속해서 때렸다.

"그, 그만해애애애애! 뭔가에 눈뜨겠어어어어어어어어—!"

고통이 아닌 다른 뭔가가 섞이기 시작한 산적의 비명이 주위에 울려 퍼졌다.

————.

"젠장! 죄다 괴물이잖아!"

"저게 종기사라고?! 말도 안 돼!"

"캘바니아의 기사는 약한 걸로 유명했을 텐데……!"

마을 변두리.

일씨김치 열세임을 헤아리고 슬쩍 빠져나온 산적 세 명이 이곳까지 와 있었다.

"저런 녀석들이랑 어떻게 싸우란 거야!"

"맞아! 지금은 도망—."

하지만 가까스로 마을에서 탈출하려고 한 그들을 기다리고 있었던 것처럼.

"여."

한 청년이 사과를 먹으며 서 있었다.

"너, 넌 뭐야⋯⋯?!"

"미안, 막다른 길이야. 돌아가 줘."

청년— 시드가 사과의 심지를 씹어 먹었다.

"죄 없는 백성을 약탈하고 여자를 납치해 팔아넘기는 악인들은 오늘로 끝이야."

그리고 뚜둑뚜둑 목을 풀며 산적들을 보았다.

"뭐, 벌 받을 때란 거지. 내 제자들의 밑거름이나 되어 줘."

"시끄러워! 웃기지 마!"

"거기서 비켜어어어어어어어!"

격분한 산적 세 명이 무기를 치켜들고 시드에게 달려들었다.

하지만 산적들의 눈앞에서 시드의 모습이 안개처럼 사라졌고.

딱! 빡! 깍!

잔상과 함께 신속한 딱밤 세 개가 작렬했다.

""""으아아아아아아아아아아악—?!""""

휙 날아간 산적들은 빙글빙글 돌며 온 길을 되돌아갔고—.

풍덩!

거름통에 사이좋게 빠졌다.

"……아니, 밑거름이 되어 달라는 건 그런 뜻이 아니었는데."

곤란하게 됐네…… 하고.

시드는 미묘한 표정으로 볼을 긁적였다.

————.

"다들 어때?!"

"이쪽은 정리했어요!"

"네, 저도 문제없어요!"

싸움의 추세는 진즉에 결정 난 상태였다.

앨빈 일행은 마을의 광장 중앙에서 합류했다.

그 주위에는 산적들이 겹겹이 쓰러져 있었다.

수십 명 있었던 산적은 완전히 무너졌다.

계산해 보면 학생 한 명당 열 명 정도를 쓰러뜨린 것이었다.

"으으으으으…… 무, 무서웠어요……."

리네트가 주위를 흠칫흠칫 둘러보며 말했다.

"하지만 우리가 이겼어!"

"네! 상대가 어둠의 요정검을 가졌어도 저희는 지지 않았어요!"

이마에 난 땀을 닦으며 크리스토퍼와 일레인이 각각 말했다.

하지만 그런 그들에게 앨빈이 주의를 줬다.

"아직 안 끝났어. 이 산적단의 두목인 게일이 안 보여. 그자를 해치우지 않는 한, 이 싸움은 끝난 게 아니야."

"하지만 대체 어디에? 설마 벌써 도망친 걸까요……?"

방심하지 않고 몸을 긴장시킨 텐코가 주위를 둘러보려고 했을 때였다.

"네놈들…… 잘도 이런 짓을 저질렀구나."

"히익?! 으윽!"

굵직한 남성의 목소리와 괴로워하는 소녀의 비명이 일동의 귀에 날아들었다.

학생들이 목소리가 들린 곳을 돌아보니.

"아니?!"

그곳에 산적단의 두목 게일과.

게일의 통나무 같은 팔에 목을 잡혀서 대롱대롱 매달려 있는 마을 처녀가 있었다.

"헤헤헤헤……."

게일은 움직이지 못하게 잡은 마을 처녀의 목에 도끼날을 대고 있었다.

앨빈 일행보다 조금 어린 그 마을 처녀의 이름은 유노.

산적 토벌을 위해 마을에 머물던 일행을 챙겨 준 소녀였다.

아무래도 인질로 잡은 것 같았다.

싸움을 시작할 때 마을 사람들은 모두 안전한 곳으로 대피시켰을 테지만…….

"콜록……! 죄, 죄송해요, 왕자님……. 저…… 여러분의 활약을, 꼭 한번 보고 싶어서……."

"으하하하하! 아주 운이 좋았다니까?! 자, 이년을 살리고 싶다면 그 흉흉한 무기를 버려!"

소녀의 얼굴은 새파랬고 게일은 크게 웃었다.

게일도 검정 요정검을 가지고 있었다. 평범한 인간을 능가하는 힘을 가지고 있었다.

학생들이 공격하는 것보다도 유노의 목이 꺾이는 게 훨씬 빠르다.

"애, 앨빈……."

텐코가 불안한 얼굴로 앨빈을 올려다보자.

"……."

챙그랑!

앨빈은 게일을 날카롭게 응시한 채 게일을 겨누던 요정검을 땅에 떨어뜨렸다.

"……알겠어요."

"젠장……!"

그러자 앨빈의 뜻을 헤아린 다른 학생들도 모두 앨빈을 따라 자신의 요정검을 버렸다.

"그, 그럴 수가! 왕자님?!"

"헤헤헤…… 말 잘 듣는 애새끼는 싫지 않아."

유노의 표정이 절망으로 물들었고 게일이 얄밉게 히죽 웃었다.

"거기 너! 여자처럼 생긴 애송이는 앞으로 나와! 다른 어중이떠중이들은 냉큼 뒤로 물러나고! 더 물러나!"

"……큭!"

다른 학생들은 어쩔 수 없이 앨빈을 남겨 두고서 조금씩 물러났다.

반대로 앨빈은 천천히 게일에게 걸어갔다.

땅에 버린 요정검에서 점점 멀어졌다.

"아, 아아…… 기사님들……."

"헤헤헤. 잘하고 있어. 너희 기사들은 요정검이 없으면 아무것도 못 하니 말이지."

그리고 게일도 유노를 인질로 잡고서 앨빈에게 다가갔다.

"그러고 보니 너, 「노르 캘바니아」라고 했지? 그렇다면 정말로 이 나라의 왕자님인가? 그 가증스러운 선대 기사왕의 애새끼야?"

"그래, 맞아."

"칫…… 3대 공작가에 꼼짝 못 하는 약소 왕가 주제에……

뭐, 좋아."

한 손으로 유노를 잡은 채 게일은 앨빈에게 도끼를 겨눴다.

"잘도 내 조직을 괴멸시켰네. 하지만 소용없어. 내 뒤에는 엄청난 분이 계시거든."

"……."

"오늘은 이만 헤어지고 당장 조직을 재결성하고 싶지만…… 역시 무시당하기만 하는 건 마음에 안 들어. 너만큼은 죽여 줄게, 왕자님."

"그, 그럴…… 수가……?!"

게일의 말을 듣고 유노가 비통하게 얼굴을 일그러뜨리며 외쳤다.

"아, 안 돼요, 왕자님! 저 같은 걸 위해 당신 같은 분이……! 싸, 싸워…… 주세요! 저는 상관 말고—."

"시끄러워! 닥쳐! 당장 목 졸라 버린다?!"

"—헉?! 끄으으으으—?!"

유노의 입을 막으려는 것처럼 게일이 유노의 목을 잡은 팔에 힘을 줬다.

목이 조이면서 유노의 안색이 순식간에 거무죽죽해졌다.

유노의 목뼈에서 우두둑 소리가 나며 당장에라도 부러질 것 같았다.

"그만둬! 네가 원하는 건 내 목숨이잖아?!"

"어이쿠, 그랬지? 깜빡 죽이면 인질을 잡은 의미가 없어지고 말이야."

"콜록콜록콜록?! 아…… 으아…… 왕……자……님……."

저항할 힘을 완전히 잃은 유노가 축 늘어졌다.

게일은 위협적인 힘으로 유노를 방패처럼 들고서 거리를 좁혀, 맨손으로 우두커니 선 앨빈을 도끼의 공격 범위에 들였다.

"헤헤헤, 움직이지 마. 조금이라도 움직이면 이년의 목을 분질러 버릴 거야."

"아, 안 돼…… 왕자님…… 왕자님…… 도망쳐요……."

유노는 매달리는 눈으로 앨빈을 보았지만.

"……."

앨빈은 움직이지 않았다.

조용히 눈을 감고, 늘어뜨린 오른손을 쥐었다 폈다 하며, 기묘한 율동으로 심호흡을 되풀이할 뿐이었다.

그리고—.

"헹! 포기했나! 좋아! 네놈의 목으로 이 도끼를 장식해 주마아아아아아아아—!"

—게일이 앨빈을 바라보며 도끼를 치켜들었다.

바로 그때.

"게일. 너에게 하나 가르쳐 줄게."

앨빈이 나직이 중얼거렸고.

"죽어어어어어어어어어어어어어어—!"

당연히 게일은 듣지 않고 회오리바람처럼 도끼를 휘둘렀다.

그 도끼날의 궤도상에는 물론 앨빈의 가느다란 목이 있었다.

"아, 안 돼—! 왕자니이이임—!"

유노가 비명을 질렀고.

다음 순간 요란하게 피를 뿌리며 앨빈의 목이 허공을 나는— 그런 광경을 게일이 상상하고 있으니.

쩌적!

금속이 부서지는 소리가 울려 퍼졌다.

놀랍게도 하늘을 난 것은 앨빈의 목이 아니라— 게일의 부러진 도끼날이었다.

"뭐, 뭐야—?!"

"……어?"

앨빈의 가느다란 목을 친 도끼가 오히려 부서진 믿기 힘든 광경을 보고 게일이 굳었다. 유노가 멍해졌다.

그리고 그런 그들 앞에서 앨빈이 눈을 번쩍 뜨더니—.

"기사의—「그 분노는 악을 멸한다」."

날카롭게 한 걸음 내디디고, 튀어 오른 용수철처럼 오른손을 휘둘렀다.

서걱!

그 손날은 유노를 잡은 팔의 힘줄을 순식간에 완전히 절단했다.

"꺄악?!"

피바람과 함께 게일한테서 풀려난 유노가 땅에 떨어졌다.

"으아악?! 네, 네놈?!"

아파서 정신을 차린 게일이 격분하여 시뻘게진 얼굴로 거의 망가진 도끼를 다시 치켜들었고—.

"앨빈!"

그 순간, 텐코가 뛰쳐나와 앨빈의 요정검을 주웠다.

그리고 도약. 공중에서 앨빈의 등을 향해 그 요정검을 던졌다.

"흡—!"

알고 있었다는 것처럼 회전한 앨빈이 날아온 요정검을 잡았고—.

"하아아아아아아아앗—!"

"우오오오오오—!"

그 회전의 기세를 이용하여 검을 앞으로 내밀어 찔렀다.

게일은 상관하지 않고 도끼를 내리찍었다.

그렇게 찰나에 벌어진 공방의 승자는—.

"커헉……!"

"……."

—앨빈이었다.

게일이 내리찍은 도끼는 앨빈이 몸을 돌려 피했고.

앨빈의 찌르기는 게일의 목을 완전히 관통했다.

"이, 이런…… 말, 도, 안 되는……! ……컥."

게일이 눈을 까뒤집고서 쿵 쓰러졌다.

게일의 죽음을 확인한 앨빈은 피를 털고 검을 검집에 넣었다.

그리고 엉덩방아를 찧고서 멍하니 쳐다보는 유노에게 손을 내밀었다.

"다치진 않았어?"

"와, 왕자님……."

"무서운 일을 겪게 해서 미안해. 네가 무사해서 정말 다행이야."

생긋. 앨빈이 다정하고 명랑하게 미소 짓자.

"……가…… 감사…… 감사합니다…… 왕자님……."

유노는 곧장 얼굴이 새빨개져서 촉촉한 눈으로 앨빈의 얼굴을 홀린 듯 바라보았고…….

"좋았어! 해냈구나, 앨빈!"

"정말이지, 조마조마하게 만들지 마세요!"

동료들이 환호성을 지르며 앨빈 곁으로 달려왔다.

"제 말이 그 말이에요! 무모한 짓을 한다니까요!"

분개한 텐코가 새빨간 얼굴로 앨빈에게 따져 들었다.

"검격이 낮다고는 하지만 상대는 검정 요정검을 썼다고

요! 앨빈의 윌이 조금이라도 뒤처졌다면 지금쯤 어떻게 됐을지……!"

"아, 아하하…… 걱정 끼쳐서 미안."

"무엇보다 아까 그건 뭐예요?! 그 손날 공격! 스승님 흉내인가요?! 그런 규격을 벗어난 사람이 하는 짓을 흉내 내면 안 되죠! 바보바보, 진짜진짜 정말!"

얼떨떨해하는 유노 앞에서 블리체 학급의 학생들이 야단법석을 떨기 시작했다.

그리고 그런 학생들의 모습을——.

"나 원 참."

—멀리 떨어진 곳에 있는 나뭇가지 위.

거기서 양반다리로 앉아 구경하던 시드가 쓴웃음을 지으며 중얼거렸다.

정신 차리고 보니.

어느새 번개선 하나가 그 나무를 타고 광장을 향해 그어져서…… 쓰러진 게일한테까지 뻗어 있었다.

시드가 손가락을 딱 튕기자 번개선은 흔적도 없이 사라졌다.

"변함없이 보고 있기 위태로운 녀석이야. 그래도, 뭐……."

한숨을 쉬면서도 시드는 자랑스러운 듯 제자들의 얼굴을 하나씩 훑어보았다.

앨빈. 텐코. 일레인. 크리스토퍼. 세오도르. 리네트.

그리고 감개무량하게 이런 말을 중얼거렸다.

"……확실하게 성장하고 있잖아."

그리고―.

―――.

싸움의 사후 처리가 마을에서 시작되었다.

앨빈은 왕도에서 데려온 병사들에게 척척 명령을 내려나갔다.

"어, 으음…… 지시는 이 정도면 될까요? 시드 경."

"그렇지. 제법 능수능란했어."

앨빈의 물음에 시드가 온화하게 고개를 끄덕였다.

"너도 남들 위에 서는 자로서 어떻게 행동해야 할지 알게 된 모양이야. 잘했어."

"그, 그런가요?! 에헤헤."

"그렇게 칭찬받은 강아지처럼 기뻐하는 걸 보면 아직 멀었지만."

"아으……."

바로 의기소침해진 앨빈을 내버려 두고서.

병사들은 학생들이 쓰러뜨린 산적단의 생존자를 구속하고 사망자를 운반했다.

한편, 텐코는 대장을 대신하여 블리체 학급의 종기사들과 병사들을 이끌고 산적단의 근거지를 수색해 납치된 주변 마을의 처녀들을 풀어 주고 약탈품을 회수했다.

그렇게 한창 작업하는 중에.

"왕자님. 시드 경."

옛 맹약에 따라 왕가를 섬기는 반인반요정 여인— 이자벨라가 왔다.

"여, 이자벨라. 어땠어?"

"역시 이 산적단의 배후에도 오푸스 암흑교단이 있었습니다."

이자벨라가 안타깝다는 듯 고개를 저었다.

"조금 전에 살아남은 단원에게 마법을 걸어서 자백시켰습니다. 틀림없어요."

"뭐, 당연한가. 보란 듯이 검정 요정검을 휘두르고 있었으니까."

"네. 최근 왕국에 해를 끼치는 소규모 범죄 세력 사이에 검정 요정검이 나돌고 있는데…… 오푸스 암흑교단이 뒤에서 본격적으로 움직이고 있는 건 분명한 것 같습니다."

"위령위라고 해도 검정 요정검의 힘은 이 시대의 기사에게 위협적이야. 검정 요정검을 뿌리는 건 왕국의 힘을 줄이는 데 비교적 효과적이겠지."

"네. 그리고 3대 공작가는 기회라도 잡은 것처럼 출병을

꺼리며, 범죄 세력의 위협에 노출된 지방의 백성들에게 불합리한 특별 경비세를 강제 징수하려고 해요……. 정말로 시드 경의 블리체 학급이 없었다면 어떻게 됐을지, 생각만 해도 오싹하네요."

이자벨라가 한숨을 푹 쉬었다.

"생각 잘하셨네요, 시드 경. 캘바니아 왕립 요정기사 학교의 월례 과제로 블리체 학급을 「산적 퇴치」[퀘스트]에 종사시키다니."

"앨빈은 아직 왕위를 계승하지 못한 왕자야. 3대 공작가의 조언과 승인 없이는 직접 병사를 움직이는 대규모 군사 행동을 할 수 없어. 하지만 학교의 과제라면 당당히 움직일 수 있지. ……교관인 나와 내가 단련시킨 기사 지망생을 말이야."

시드가 씩 웃었다.

"검정 요정검을 쓰는 떨거지들에게 질 녀석들이 아니야. 3대 공작가가 나라를 지키지 않는다면 왕족인 앨빈이 직접 선두에 서서 지키면 돼. 나라를 지키고, 실전 경험도 쌓고, 왕가의 권위도 높아져. ……일석삼조야."

"덕분에 국내에서 날뛰던 주된 소규모 범죄 세력을 대부분 없앨 수 있었어요. 지금부터 저는 이곳저곳의 상황을 처리하도록 하겠습니다. 국내 치안 유지는 본래 3대 공작가의 각 요정기사단이 해야 할 일이에요. 이번에 잔뜩 체면을 구기게 된 3대 공작가가 여러 가지로 불만을 늘어놓겠지만, 옛 맹약에 따라 왕가를 수호하는 《호반의 여인》의 수장으로서 참견하지 못하게 하겠어요."

"훗, 믿음직스러운데, 이자벨라."

"시드 경은 앨빈 왕자와 학생들을 잘 챙겨 주세요."

"그래, 맡겨 줘."

그런 대화를 나누고서.

이자벨라는 발길을 돌려 자리를 떴다.

"왜 그래? 표정이 안 좋네."

이자벨라가 떠난 후, 시드가 앨빈의 옆모습을 보며 말했다.

그러자 앨빈은 자신의 오른손을 내려다보며 중얼거렸다.

"죄송해요. 사람을 벤…… 아뇨, **죽인** 감촉이 아직 손에 남아 있어서……."

이번 원정 과제로 앨빈 일행은 국내 각지를 전전하며 오푸스 암흑교단의 입김이 작용한 산적단이나 도적단 등 소규모 범죄 조직을 닥치는 대로 없애고 다녔다.

하지만 요마가 아니라 인간을 상대한 건 처음이었다.

그런 의미에서 이번 원정 과제는 학생들의 첫 실전— 첫 출진이라고 할 수 있었다.

그리고 시드에게 잘 단련받은 학생들은 크게 고생하지 않고 별 손실도 없이 그것을 무사히 끝냈다.

하지만— 역시 보호된 평안 속에서 지냈던 학생들에게

그건 너무나도 무거운 일이었다.

지금까지 순수한 동경의 대상이었던 기사란 존재가 짊어져야 하는 것.

그 당연한 현실을 이번에 확실하게 인식하게 되었다.

아마 앨빈뿐만 아니라 다른 학생들도 똑같은 마음일 것이다.

"이번 일로 이미 몇 명이나 베었는데…… 여전히 손의 떨림이 멎질 않아서……."

잘게 떨리는 오른손을 앨빈은 심각한 얼굴로 바라보고 있었다.

"뭔가 되돌릴 수 없는 일을 저지른 느낌이에요……. 기사로서 이런 생각을 하는 건 부끄러운 일일지도 모르지만……."

그러자 시드가 작게 미소 지으며 앨빈의 머리에 툭 손을 얹었다.

"전혀 부끄러운 일이 아니야. 그건 사람으로서 당연한 감각이야. 그걸 잊어버리면 기사가 아니야. 그저 악귀지."

"악귀……?"

올려다보는 앨빈에게 시드는 고개를 끄덕였다.

"너희는 기사야. 그러니 **그것**에 익숙해지는 건 상관없어. 하지만 잊지 마. 사람이 사람을 베는 행위가 어떤 의미인지 항상 생각해. 설령 상대가 악당이어도 그 미래와 가능성을 뺏는다는 점은 변함없어. 그렇다면 기사는 무엇을

위해 검을 휘두르는가? 그 물음과 갈등을 계속 마주하는
것이야말로 기사의 싸움이야."

"네……!"

"그리고…… 다행히도."

시드가 씩 웃었다.

"너희의 이번 싸움에는 분명하게 의미가 있었던 것 같아."

"……네?"

앨빈이 눈을 깜빡이자.

"""""왕자님!!"""""

어느새 앨빈 주위에 마을 사람들이 남녀노소 모여 있었다.

"감사합니다, 왕자님!"

"왕자님께서 이 마을을 구해 주셨습니다!"

"이제 그 욕심 많은 공작들에게 불합리한 특별 경비세를
내지 않아도 돼요!"

"조금은 생활도 편해질 거예요!"

"왕자님의 신하분들이 납치당했던 딸을 구출해 주셔서
조금 전에 무사히 돌아왔습니다……. 대체 뭐라고 감사 인
사를 드려야 할지……!"

"왕자님이 왕이 되신다면 이 나라는 평안할 거야!"

"앨빈 님! 앨빈 왕자님!"

마을 사람들이 눈물을 글썽거리며 앨빈에게 잇따라 고맙다고 했다.

그리고―.

"왕자님……."

앨빈 앞에 유노가 나타났다.

가슴 앞에서 손을 맞잡고 뺨을 장밋빛으로 물들이고서 앨빈을 숭배하듯 바라보았다.

"이번에 도와주셔서…… 정말 감사합니다! 백성을 위해 직접 싸우시는 그 모습…… 저 같은 사람도 구해 주시는 그 상냥한 마음…… 감동했어요! 왕자님이야말로 왕 중의 왕이에요! 저는 확신했어요!"

"아, 아니…… 나는……."

당황하는 앨빈에게 유노가 결심한 것처럼 선언했다.

"왕자님…… 저는…… 역시 기사가 될 거예요!"

"……어?"

"저는 예전부터 기사가 되고 싶었어요. ……저한테는 무리라고 마을 사람들이 항상 말했지만…… 역시 저는 기사가 되고 싶어요! 언젠가 기사가 되어 왕자님을 위해 이 목숨을 쓰고 싶어요!"

그런 유노를 마을 사람들이 황급히 달랬다.

"어허! 유노! 감히 어느 안전이라고!"

"너무 무례해……!"

"기사는 네가 잘하는 칼싸움 놀이와는 달라!"

"애초에 너 같은 시골 처녀가 왕자님을 도울 수 있을 리가……."

"아냐, 괜찮아. 상관없어."

앨빈은 그런 마을 사람들을 손으로 제지했다.

그리고 유노를 똑바로 바라보며 말했다.

"이런 미숙한 나를 위해 그렇게까지 말해 줘서 기뻐, 유노."

"왕자님……."

"하지만 그건 험하고 혹독한 길이야. 그저 화려하기만 한 길이 아니야. 눈 돌리고 싶어지는 어둠도 있어. 너는 후회할지도 몰라."

"가, 각오…… 각오한 일이에요!"

"응. 만약 그 각오가 일시적인 게 아니라 진짜라면…… 캘바니아 왕립 요정기사 학교 블리체 학급에서 만나자. 네가 입학하길 기다릴게."

그렇게 말하고 앨빈은 부드럽게 웃었다.

"왕자님……! 네……! 반드시!"

유노는 감격하여 눈물을 글썽거리며 힘차게 고개를 끄덕거렸다.

"훗……."

그런 앨빈과 유노를 시드는 온화하게 지켜보았다.

—————.

캘바니아 왕국으로부터 아득한 북방.

벽처럼 우뚝 선 데스팰리스 산맥 너머, 대륙 북단.

1년 내내 극한의 냉기와 눈보라가 휘몰아치며 눈과 얼음에 덮여 있는 구 마국 다크네시아.

다크네시아성, 알현실에서.

"재미없어! 재미없어! 재미없어!"

다크네시아의 주인, 앨빈과 똑같이 생긴 소녀 엔데아가 다리를 꼬고 옥좌에 앉아 언짢음을 숨김없이 드러냈다.

"모처럼 왕국 각지에 검정 잡검을 뿌렸는데! 간단히 토벌당했잖아! 아아아아, 진짜! 대체 언제쯤 앨빈을 지옥에 떨어뜨릴 수 있는 거야?!"

"후후후, 참을성 없는 우리 귀여운 주인님⋯⋯."

그 옆에서 마녀 플로라가 엔데아의 머리를 손으로 빗으며 키득키득 웃었다.

"그 준비는 착착 진행되고 있어요. 왕도를 지키는 빛의 요정신의 가호에는 이미 수복 불가능한 구멍을 뚫었고⋯⋯ 그리고 의식에 필요한 촉매도 갖춰지고 있어요⋯⋯."

근래 각지에서 벌인 암흑기사단의 암약⋯⋯ 살인, 강도, 유괴, 노예 매매, 마약 거래 등의 활동은 전부「어떤 의식」을 치를 마법 촉매를 모으기 위해서라는 건⋯⋯ 엔데아도 들었다.

"네. 남은 건 시간…… 필요한 건 시간이에요, 주인님."

그렇게 키득키득 웃는 플로라 앞에서.

엔데아는 관심 없다는 듯 콧방귀를 뀌고 고개를 팽 돌렸다.

"말해 두는데, 나는 네가 벌일 예정인 의식에 관해서는 잘 모르고, 비교적 어찌 되든 좋아. 나는 그저 앨빈을 엉망 진창으로 만들고 싶을 뿐이야. 그 짜증 나는 나라와 이 부조리한 세계를 깨부수고 싶을 뿐이라고!"

"네, 그럼요, 알고 있어요. 하지만 제 방식을 쓰면 우리 귀여운 주인님이 반드시 만족할 만한 결말을 약속드릴 수 있어요."

"그건 믿고 있어. 왜냐하면 옛날부터 네가 한 말은 틀리지 않았으니까."

"과분한 말씀이네요."

"아아~ 그나저나 심심하다. 텐코가 내 것이 됐다면…… 조금은……."

중얼중얼. 누구에게도 들리지 않을 목소리로 쓸쓸하게 그런 말을 하고서.

이윽고 좋은 생각이 떠올랐다는 듯 엔네아는 짝 손뼉을 쳤다.

"차라리 교단의 암흑기사들을 전부 모아서 단숨에 쳐들어가는 건 어때? 캘바니아 왕국의 마을을 두세 개쯤 없애는 거야!"

엔데아의 그 모습은 어린아이가 재미있는 장난감으로 노는 것 같았다.

그 악의는 투명하여 오히려 천진난만했다.

"우후후! 앨빈 녀석, 분명 곤란해하고 슬퍼하고 화낼 거야! 볼 만하겠지! 그 새침한 얼굴에 그늘을 만들 수 있다면 나는──."

"……좋은 생각이긴 하지만 추천해 드리기는 어렵네요."

플로라는 어깨를 으쓱였다.

"확실히 우리 오푸스 암흑교단이 자랑하는 암흑기사단은 강하지만…… 지금 캘바니아 왕국에는 전설 시대 최강의 기사, 시드 경이 계세요. 평범한 암흑기사는 떼로 덤벼도 못 이겨요."

"큭…… 시드 경……!"

엔데아가 분한 듯 이를 갈았다.

"그럼 지금까지 그랬던 것처럼 왕국의 적대 세력에 검정 요정검을 풀고 왕국이 피폐해지기를 기다리기만 하라고? 그런 건 재미없어!"

"그렇죠…… 확실히 그건 그것대로 재미없네요."

플로라가 작게 웃었다.

"그리고 시드 경은…… 확실히 저희 계획에 가장 큰 걸림 돌이 될 기사예요. 슬슬 뭔가 대책이 필요하긴 하죠……."

그렇게 플로라가 뭔가를 생각하기 시작했을 때였다.

"그렇다면……「평범」하지 않은 기사를 보내면 되는 것 아닌가?"

"맞아, 바로 그거야."

"……말씀하신 대로예요."

갑자기― 공기가, 어둠이, 터무니없이 무거워졌다.

"―큭?!"

몸을 짓누르는 장절한 압력에 엔데아의 이마에 구슬땀이 맺혔다.

살펴보니― 알현실에 어느새 세 사람이 나타나 있었다.

한 명은 검은색 전신 갑옷과 외투를 걸치고 투구의 면갑에 십자 흠집이 새겨져 있는 암흑기사였다. 전신 갑옷의 전체적인 디자인도 어딘가 사자를 연상시켰다.

다른 한 명은 역시 검은색 전신 갑옷과 외투를 걸친 암흑기사였다. 투구의 형태와 어깨의 깃털 장식 등이 올빼미를 연상시켰다.

마지막 한 명도 검은색 전신 갑옷과 외투를 걸친 암흑기사였는데, 투구의 이마 부분에 일각수 같은 뿔이 있었다. 전신 갑옷의 디자인도 어딘가 준마처럼 세련되고 아름다웠다.

세 사람 모두 풀페이스 투구를 쓰고 있어서 얼굴이나 표정은 엿볼 수 없었다.

하지만 민낯이 보이지 않아도 그 투구 속에 있는 존재가 이 세상에 속한 자가 아니라는 것은 명명백백했다.

그 암흑기사들이 가진 압도적인 존재감. 그들이 풍기는 지대한 어둠색 마나.

존재하는 것만으로도 보는 이의 혼을 짓뭉개고 우그러뜨리는 자가 이 세상에 속한 인간일 리 없었다.

엔데아조차 자연스럽게 다리가 후들거릴 만큼 규격을 벗어나 있었다.

그리고 잠시나마 시드와 대치하고 검을 맞댄 엔데아는 알 수 있었다.

이 세 사람에게서 느껴지는 마나의 압력은 전설 시대 최강이라고 칭송받던 시드와 동격— 혹은 그 이상임을.

"지금 돌아왔다. 나의 주군."

세 암흑기사는 옥좌에 있는 엔데아를 향해 무릎을 꿇고 신하의 예를 취했다.

"사, 사자 경…… 올빼미 경…… 그리고 일각수 경……!"

엔데아는 주군의 강단을 보이며 의연한 태도로 세 기사를 맞이했다.

이 세 사람이 바로 오푸스 암흑교단이 자랑하는 암흑기사단의 스리톱.

《흑사자 기사단》 단장— 사자 경.

《흑올빼미 기사단》 단장— 올빼미 경.

《흑일각수 기사단》 단장— 일각수 경.

암흑 세력 최강의 3기사가 지금 이곳에 있었다.

"……전혀 겁내실 필요 없어요, 귀여운 주인님."

플로라는 키득키득 웃으며 엔데아에게 귓속말했다.

"저 세 사람은 언젠가 이 세계의 진정한 왕이 되실 주인님에게 절대적 충성을 맹세하는 기사예요. 주인님이 죽으라고 명하면 기꺼이 죽을 자들이죠. 그러니 겁내지 말고 당당히 대하시면 돼요."

"……그, 그런 건 나도 알아."

흥, 콧방귀를 뀌고서 심호흡한 엔데아는 세 암흑기사를 보았다.

"아무튼 아까 한 말은 무슨 뜻이야? 사자 경."

"말 그대로다, 나의 주군."

흠집 난 투구를 쓴 암흑기사— 사자 경이 엄숙히 답했다.

"「평범」한 기사가 당해 낼 수 없다면…… 「평범」하지 않은 기사를 보내면 돼."

"즉— 저희가 적임이죠."

뿔 달린 투구를 쓴 암흑기사— 일각수 경이 사자 경에게 동의했다.

"가짜 왕, 앨빈 노르 캘바니아를 섬기는 《야만인》 시드 블리체의 목을 베어 오라고 부디 제게 하명을. 그리하면 목숨을 걸고 완수하겠습니다."

그러자 사자 경과 올빼미 경이 잇따라 항의했다.

"……잠깐, 일각수. 시드 블리체는 예나 지금이나 내 사냥감이야. 가로채려 한다면 아무리 귀공이라고 해도……."

"너야말로 무슨 소리지? 사자 경. 나의 긍지를 걸고 그 남자는 내가 죽일 거야. 방해할 거라면 네놈도 죽이겠어."

하지만 일각수 경은 그런 두 암흑기사의 압력을 여유롭게 받아넘기고서 이렇게 대답했다.

"훗…… 그건 우리 주군의 마음에 달린 일 아닙니까?"

그 순간.

공기가 한층 더 무거워지고 팽팽해졌다.

사자 경의 손이 등에 있는 대검으로 향했다.

올빼미 경의 손이 허리에 찬 장검을 잡았다.

그러자 일각수 경도 등에 멘 창을 잡았다.

세 기사가 말없이 자신의 무기를 잡았다.

서로 전혀 양보할 마음이 없다는 의지가 장절한 살기가 되어 공간을 어그러뜨렸다.

그야말로 일촉즉발.

뭔가를 계기로 폭발하여 장대한 싸움이 시작되기 직전.

지금 세 사람 사이에 끼어들면 죽음뿐인― 그런 때에.

"어전이다. 행동을 조심하라."

플로라가 전에 없이 냉엄하게 말했고.

"……."

"……."

"……."

세 암흑기사는 말없이 살기를 풀었다.

"하여간 당신들은 충성심이 너무 앞서서 문제라니까요."

그러자 플로라도 평소 모습으로 돌아와 낭랑하게 웃었다.

"애초에 지금 당신들에게는 중요한 역할이 있잖아요?"

"고룡(古龍) 사냥 말이야?"

"고룡을 없애서 용에 내포된 막대한 마나를 땅에 돌려보내라는 임무였나요."

"그거라면 이미 끝났다."

사자 경이 손을 들었다.

그러자 여러 유령기사가 거대한 뿔이 담긴 수레를 끌고 왔다.

용의 뿔이었다.

그걸 본 엔데아는 옥좌에서 일어나 깜짝 놀랄 수밖에 없었다.

"그, 그건…… 실마 번방 콜랜느의 세리산 호수에 사는 용— 샤브니구스의 뿔……?! 벌써 토벌한 거야……?!"

그런 엔데아 앞에서 세 암흑기사는 별것 아니라는 듯 말했다.

"흥…… 나 혼자서도 충분했어."

"네. 그 정도 상대에게 저희 셋을 보낸 건 과잉 전력이었어요."

"나 참, 전설 시대의 고룡은 좀 더 기개가 있었는데…… 이것도 시대의 흐름인가."

그런 세 사람의 말에 엔데아는 내심 식은땀을 흘릴 수밖에 없었다.

'고룡은…… 사냥할 수 있는 거였어……?'

이 세상에 태어나 유구한 시간을 살고 인간을 뛰어넘은 지혜를 얻은 용을 고룡이라고 부른다.

고룡은 일대의 자연법칙조차 지배하는, 문자 그대로 신에 가까운 힘을 가졌다.

역사를 살펴보면 섣불리 고룡을 건드렸다가 멸망한 나라가 셀 수 없이 많았다.

그런 고룡을 마치 사슴처럼 사냥해 온 세 암흑기사는 한없이 두려운 존재였다.

'이 세 사람이라면…… 정말로 시드 경을 해치울 수 있을지도 몰라…….'

세 사람의 압도적인 힘을 피부로 느꼈기에 엔데아는 쉽게 상상할 수 있었다.

이 세 사람이 시드를 죽이고 그 목을 자신에게 바치는 광경을―.

'어, 어라……?'

그 광경을 상상한 엔데아는 가슴이 철렁 내려앉았다.

'바, 방금…… 나, 그건 싫다고 느꼈어……?'

그 남자는, 시드는 가증스러운 앨빈의 기사인데.

어차피 자신처럼 어둠에 물들어 타락한 자는 도와주지 않을 텐데.

어째서 새삼 그런 생각을 했을까.

엔데아가 자신의 속마음에 있는 답을 막연히 찾고 있으니 플로라가 말했다.

"묘안이네요. 앨빈이 가장 신뢰하는 기사— 시드 블리체 살해. 그게 이루어지면 앨빈도 크게 상심하겠죠. 우리 귀여운 주인님의 속도 어느 정도 후련해지지 않을까요?"

"그, 그렇지…… 맞아. 아하, 아하하하! 앨빈 녀석, 분명 꼴사납게 울부짖을 거야!"

엔데아는 어딘가 좀 어색하게 동의했다.

"결정됐군. 다음 임무는《야만인》의 목을 베는 것."

사자 경이 고개를 끄덕였다.

"그렇다면…… 우리 중에서 누가 움직일지가 문제인데……."

"혹시 모르니까 일단 묻겠지만…… 셋이 협력한다는 선택지는 없나요?"

일각수 경의 그런 물음에.

"웃기지 마."

올빼미 경이 내씹듯이 말했다.

"이번에 잡은 잡룡이라면 몰라도, 다른 누구도 아닌 녀석과의 싸움에 네놈들의 힘을 빌리는 건 내 긍지가 허락 안 해."

"그렇지. 애초에 너희와 함께 싸우면 언제 배신당할지 알 수 없어."

"훗…… 그러네요…… 그렇게 나와야죠."

그럴 줄 알았다는 것처럼 일각수 경이 의미심장하게 웃었다.

"그럼 공평하게. 경애하는 우리 주군에게 결정권을 맡기기로 할까요?"

"그래, 그게 좋을 것 같군."

"……흥."

세 암흑기사의 시선이 엔데아에게 모였다.

"……어?"

느닷없이 선택지를 받은 엔데아는 저도 모르게 굳어 버렸다.

그런 엔데아에게 플로라가 슬쩍 속삭였다.

"자, 귀여운 주인님. 지금이야말로 왕명을 내릴 때예요."

"……!"

"주인님은 왕명을 내려야 해요. 명령해야 해요. 안 그러면 왕의 자격을 잃겠죠. 자…… 이번 일은 누구에게 맡길

까요?”

그렇게 재촉해서 엔데아는 세 암흑기사를 순서대로 바라보았다.

사자 경.

올빼미 경.

일각수 경.

전부 규격을 벗어난 호걸들이다.

혼자서도 틀림없이 시드의 목을 가져올 최강의 기사들.

“나, 나는…….”

엔데아는 한동안 뭔가를 망설이듯 머뭇거리다가.

“……알았어. 왕명이야.”

이번에 시드에게 보낼 기사의 이름을 왕으로서 고했다.

‘……상관없어. 어찌 되든 좋아.’

왕명을 내린 후— 엔데아는 자신을 타이르듯 이를 갈았다.

‘시드 경이 어떻게 되든, 그 나라가 어떻게 되든, 어찌 되든 좋아……! 나는 앨빈을 죽이기 위해, 앨빈을 절망에 빠뜨리고 모조리 빼앗기 위해 이렇게 꼴사납게 살아 있는 거니까……! 그러니까……!’

멀리 떨어진 북쪽 땅에서.

새로운 악의와 음모가 지금 움직이기 시작한다—.

제2장 대항 의식

블리체 학급은 이번 기간의 특별 과제를 끝내고 왕도로 귀환했다.

말을 타고 수행 병사들과 함께 성벽 문을 지나자.

의외의 광경이 펼쳐졌다.

"""""우오오오오오오오! 앨빈 왕자니이이이이임—!"""""

왕족이라고는 하지만 기껏해야 학생의 과제다. 특별히 고지하지도 않았는데 왕도의 민중이 앨빈의 귀환을 성대하게 맞이했다.

민중은 작은 깃발을 들고 있었다. 노란색을 기조로 한 용 문장— 블리체 학급의 문장기였다.

민중은 그 깃발을 흔들며 두 손 들고 앨빈에게 환호를 보내고 있었다.

"이, 이게 어떻게 된 거지?"

"아무래도…… 먼저 왕도로 귀환한 선발대가 너희의 활약을 이것저것 거창하게 퍼뜨린 모양이야."

말 위에서 눈을 깜빡이는 앨빈에게 시드가 말했다.

블리체 학급의 다른 학생들도 상황은 비슷해서 어안이 벙벙한 모습이었다.

학생들이 그러든 말든 왕도 백성의 환호성은 끊이지 않았다.

"앨빈 왕자님! 첫 출진을 축하드립니다!"

"듣자 하니 사자분신의 활약을 보이셨다던데!"

"왕자님이 직접 선두에 서서 백성을 위해 싸우다니…… 으으…… 선왕 아르드 님의 재래로다……!"

"들었어?! 블리체 학급은 최근 전통 3학급과의 모의전이나 마상 창시합_{토너먼트}에서도 전혀 지지 않는대!"

"그게 정말이야?! 저 아이들은 그렇게나 강해진 건가!"

"그러니 게일 산적단을 괴멸시키지!"

"앨빈 님은 어쩌면 선왕 아르드 님보다 더…… 아니, 성왕 아르슬 님처럼 될지도 몰라!"

"이 나라의 미래는 밝아!"

————.

시드 일행은 왕도 백성들에게 환영받으며 캘바니아성에 개선했다.

마을과 성을 가로막는 계곡에 걸린 돌다리를 건너고, 정면 성문을 지나서 부지 내로.

부지에 들어가면 우선 세 문장기가 걸린 소성관(小城館)이 있다.

빨간색을 기조로 한 사자— 뒤란데 학급의 문장기.

파란색을 기조로 한 올빼미— 오르토르 학급의 문장기.

초록색을 기조로 한 일각수— 앤서로 학급의 문장기.

그것들이 걸려 있는 소성관은 전통 3학급의 학당, 캘바니아 왕립 요정기사 학교 본관 교사였다.

그런 본관 교사의 그늘에 숨듯 노란색을 기조로 한 용—블리체 학급의 문장기가 걸린 작은 별관이 있었다. 이쪽이 블리체 학급의 학당이었다.

여기서 일단 블리체 학급의 학생들과 헤어진 시드는 앨빈과 텐코를 데리고서 캘바니아 왕립 요정기사 학교 구획을 지나 안쪽에 있는 대성관— 본성으로 향했다.

그리고 성내 중층—《호반의 여인》신전 구획으로 갔다.

거기서 이번 과제의 결과^{리절트}를 보고하여 대량의 공적점^{포인트}을 얻고 신전을 뒤로했다.

세 사람이 블리체 학급의 기숙사탑을 향해 성내를 걷고 있으니.

"후후! 오늘 밤은 진수성찬이겠네요, 앨빈!"

텐코가 기뻐하며 말했다.

굉장히 기분이 좋은지 그녀의 꼬리가 좌우로 살랑살랑

흔들리고 있었다.

"이번에 번 공적점이 있으면 학교생활의 질도 크게 향상 될 거예요!"

"응…… 그렇지……."

하지만 정작 앨빈의 얼굴은 조금 어두웠다.

그걸 민감하게 알아차린 텐코가 고개를 갸웃하며 걱정스레 앨빈의 표정을 살폈다.

"왜 그래요? 앨빈."

"원정 가서 만난 마을 사람들이랑 아까 우리를 환영해 준 왕도의 백성들을 생각하니까…… 뭔가…… 좀 그래서……."

앨빈은 쓴웃음을 지으며 나직이 말했다.

"뭔가…… 다들 나를 과대평가하는 것 같아……."

"과대평가요……?"

"응. 물론 나는 열심히 하고 있지만…… 아직 왕으로서는 아바마마에게 한참 못 미치고…… 지금도 시드 경과 이자벨라, 블리체 학급의 모두에게 도움만 받고 있는데…… 아직 혼자서는 아무것도 못 하는데……."

그렇게 앨빈이 속마음을 토로하자.

"그만큼 다들 너에게 기대하고 있는 거야."

툭, 하고.

시드가 앨빈의 머리에 손을 얹고서 말했다.

"북쪽 마국의 위협, 불안한 국내 정치, 이웃 나라들의 압력, 그리고 무엇보다도 왕의 부재…… 그런 정세 속에서, 영웅으로 칭송받은 선왕의 아이인 네가 이토록 화려한 성과를 올리며 당당히 백성을 지켰잖아. 다들 너한테서 희망을 본 거지."

"……."

앨빈은 침묵했다.

시드는 작게 웃으며 그런 앨빈에게 짧게 물었다.

"훗…… 부담스러워?"

그러자 앨빈은 고개를 들고 의연하게 대답했다.

"아뇨…… 원래부터 왕이란 그런 자리예요. 각오는 되어 있어요."

"말 잘했어. 그래야 나의 주군이지."

시드가 만족스럽게 고개를 끄덕였다.

"하지만 그렇다고 해서 무리할 필요는 없어. 힘들 때는 사양 말고 말해. 기사로서 내가 너의 부담을 함께 짊어지겠어."

"네, 믿고 있어요, 나의 기사."

시드의 말에 앨빈은 싱긋 웃었다.

그렇게 서로에게 온화한 신뢰를 보내는 시드와 앨빈 사이로.

"우우~~!"

텐코가 뺨을 부풀리고서 끼어들었다.

"저, 저도 같이 짊어질 거예요! 저도 앨빈의 기사예요! 이것만큼은 스승님에게도 지지 않을 거예요!"

"아하하, 고마워, 텐코. 물론 널 잊지는 않아. 너도 시드 경만큼이나 소중한 신하고…… 친구야."

"그게 정말인가요~?! 요, 요즘 앨빈이 스승님을 대하는 모습은, 뭐랄까…… 주군과 신하의 관계를 넘어선 뭔가가 느껴진다고 할까……!"

"잠깐?! 테, 텐코?! 무, 무슨 소리를—?!"

앨빈이 새빨개져서 허둥거리기 시작했을 때였다.

—전방에서 갑자기 다가오는 인기척.

그 기척에 섞인 명확한 적개심.

"……?"

그걸 알아차린 시드가 발을 멈췄다.

앨빈과 텐코도 들뜬 기분을 억누르고 멈춰 섰다.

이윽고 성내 통로의 전방에서 온 사람은…… 캘바니아 왕립 요정기사 학교의 종기사 예복을 입은 붉은 머리 소녀였다.

"음? 저 여자는……."

그 소녀를 시드는 본 적이 있었다.

붉은 머리 소녀와 처음 대면한 것은 지금으로부터 약 두

달 전— 4학급 합동 교류 시합의 회의장에서였다. ^{미팅}

그때는 얼굴만 마주했지 말을 나눌 기회는 없었다.

하지만 이 소녀는 신령위 요정검에게 선택받은 유명한 학생이었고, 무엇보다 늘 적의에 가까운 날카로운 눈빛을 보냈기에 시드는 분명히 기억하고 있었다.

이 소녀의 이름은—.

"루이제 세디아스잖아. 요전번 4학급 합동 교류 시합 이후로 처음이네."

여, 하고 시드가 루이제에게 가볍게 인사했다.

하지만 루이제는 그 인사에 반응하지 않고 시드 일행 앞에서 발을 멈췄다.

그리고 물어뜯는 듯한 눈으로 노려보며 일방적으로 말을 내뱉었다.

"흥, 쓰레기통 학급의 교관과 학생들이 잘난 척은."

"뭐……?!"

정색하는 앨빈과 텐코에게 루이제는 불쾌감을 숨기지 않으며 계속 말했다.

"너희, 요즘 아주 멋대로 나대는 것 같더라."

"……."

"낙오자인 너희가 《호반의 여인》과 결탁하여 자신들에게 유리한 과제만 받고, 좀스러운 산적 퇴치로 백성을 지키고서 점수를 벌었으니…… 아주 기분 좋겠지. 팔푼이 앨빈 왕자."

"뭐라고요?! 너무 무례하네요……!"

"무슨 그런…… 나는 그러려고 그런 게 아니라……."

일방적인 루이제의 매도에 텐코와 앨빈이 반론하려고 하자, 시드가 그것을 손으로 제지했다.

"하하하, 누가 들으면 오해하겠네. 루이제. 왜 그래? 안 좋은 일이라도 있었어?"

"오해가 아니라 사실이잖아!"

루이제가 시드를 날카롭게 노려보았다.

"요즘엔 너희 블리체 학급만 간단히 성과와 명성을 얻을 수 있는 과제를 받고 있어……! 이게 《호반의 여인》과 결탁한 게 아니면 뭔데?!"

"이봐…… 《호반의 여인》의 수장이자 캘바니아 왕립 요정기사 학교의 학교장 이자벨라는 언제나 공평해."

시드가 어깨를 으쓱이고 말했다.

"확실히 이번에는 여러 사정으로 산적단 등의 토벌을 우리가 우선적으로 받았지만…… 그건 딱히 편애가 아니야. 블리체 학급에 그만한 실력이 있어서 받은 거야. 이자벨라는 인제나 학급의 실력에 맞는 과세를 고심해서 학생들에게 주고 있어. 과제의 난이도를 잘못 설정하면 학생들의 목숨이 위험하니 말이지. 설령 3대 공작가나 전통 3학급과 사이가 안 좋더라도 이자벨라는 이런 데에 사적인 감정을 개입시키는 녀석이 아니야. 그 녀석은 정말 좋은 여자야."

"거짓말!"

루이제가 고함쳤다.

"그러면…… 왜 너희 블리체 학급이 과제를 수행해 화려하게 공적을 올리는 가운데, 우리 전통 3학급은 누구도 관심 가지지 않을 시시한 과제만 받는 건데?! 왜 우리한테도 너희처럼 명예를 얻을 수 있는 과제를 안 주는 건데?!"

그러자 시드가 의아해하며 대답했다.

"그야 너희한테는 무리니까."

"──?!"

당연히 시드는 도발하려고 한 말이 아니라 사실을 사실대로 말했을 뿐이었다.

하지만 그걸 알 리 없는 루이제는 아주 직설적인 도발을 받았다고 느꼈고, 그 충격으로 말도 잇지 못했다.

"너희가 블리체 학급의 이번 과제에 따라왔다면 평범하게 몇 명이나 죽었을 거야. 그런 어림없는 과제를 주는 거야말로 악랄한 일이잖아?"

"우, 웃기지 마아아아아─!"

루이제가 소리 질렀다.

시드의 발언은 **어떤 명제**가 대전제로 깔려 있었다. 그 **어떤 명제**를 도저히 인정할 수 없는 루이제는 언성을 높여 일축할 수밖에 없었다.

"신령위인 내가……! 긍지 높은 전통 3학급인 우리가 고작 산적 따위를 상대로 고전한다는 거야……?! 모욕도 이런 모욕이 없어!"

아칠루트

"음? 이 시대에는 사실을 지적하는 게 모욕이 되는 건가?"

시드가 답을 구하듯 앨빈과 텐코를 돌아보려고 했다.

하지만 루이제가 그런 시드에게 다가와 멱살을 잡고 시드와 얼굴을 마주했다.

"우, 우리는 너희 같은 지령위 잡검과는 격이 다르다고!"

아시야

"시합과 실전도 달라."

"너희 같은 낙오자도 하는 일을 우리가 못 할 리 없어……!"

"무리라니까 그러네."

시드가 마침내 어이없어하며 말했다.

"너희는 약한걸."

"~~?!"

그랬다. 시드가 하는 말의 대전제였던 **어떤 명제**.

「전통 3학급은 블리체 학급보다 뒤떨어진다」.

그걸 시드가 가차 없이 말로 표현해서 루이제의 분노는 폭발 직전이었다.

"확신히 내가 처음 왔을 때는 요징김의 검겸 사이 때문에 너희 전통 3학급이 블리체 학급보다 뛰어났지만…… 이미 한참 전에 뒤집혔어. 일단 현실은 인정해."

"……."

"뭐, 걱정하지 마. 지금은 아직 너무 약해서 논할 가치도 없지만, 너희가 전장에 나갈 만한 실력을 갖추면 이자벨라도 너희에게 맞는 과제를 줄 거야."

"……."

"……음? 그렇다면 혹시…… 너는 같은 또래인 우리 반 애들이 과제로 대활약하여 백성들에게 칭송받는 게 부러웠던 거야? 풉…… 난 또 뭐라고. 의외로 귀여운 구석이 있잖아, 하하하."

시드는 쾌활하게 웃으며 거침없이 말했다.

앨빈과 텐코는 그 모습을 조마조마하게 지켜보았고.

그리고 긍지 높은 루이제의 인내심은 한계에 달했다.

상대가 다른 학급의 교관 기사라서 간신히 참았던 격정이─ 마침내 폭발했다.

"네놈─! 나를 우롱하는 거냐아아아아아─!"

루이제가 허리에 찬 자신의 쌍검형 요정검을 뽑았고─.

"어?!"

"잠깐─ 루이제?!"

눈을 크게 뜨고 경직된 앨빈과 텐코 앞에서─.

"하아아아아아아아아앗─!"

그야말로 전광석화와 같은 움직임으로 쌍검을 X자로 들어 시드를 베려고 했다.

하지만─.

"음?"

"아니—?!"

루이제의 눈이 경악으로 크게 뜨였다. 시드가 루이제의 검이 교차된 부분을 손가락 하나로 눌러서 공격을 완전히 막았기 때문이다.

칼날에 닿은 시드의 손끝에는 당연히 상처 하나 없었다.

"끄, 으으으으윽……?!"

부들부들부들…….

루이제가 요정검으로부터 마나를 공급받아 온 힘을 다해 밀어도…… 시드는 꿈쩍도 안 했다. 마치 거대한 성을 밀고 있는 듯한 무게와 안정감이었다.

"홋…… 동서고금, 결투는 기사의 꽃이지. 싫지 않아, 루이제."

시드는 교차된 검 너머에서 루이제를 향해 씩 웃었다.

"하지만 이 정도 실력이어서야, 날 상대하기엔 천년은 일러."

팅! 하고. 시드는 검을 누르던 손가락을 튕겼다.

쿵! 하고. 그것만으로도 쌍검이 좌우로 튕기며 루이제의 몸이 성대하게 떠올라 나자빠졌다.

"제, 젠장……!"

루이제가 부들부들 떨며 검을 거두고 물러났다.

루이제도 아마추어는 아니었다. 무예의 극치에 도달하고

자 하는 기사였다.

그렇기에 조금 전의 겨루기로 강렬하게 깨닫고 말았다.

설령 자신이 몇천 번, 몇만 번을 달려들더라도 자신의 검이 시드에게 닿는 일은 만에 하나라도 있을 수 없다는 것을.

전설 시대 최강의 기사— 그 말의 의미를 루이제는 새삼 통감했다.

"흠. 검 실력은 나쁘지 않아. 센스도 있어. 그런 만큼 아쉬운데."

시드는 부들부들 떨면서 고개 숙인 루이제에게 악의 없이 말했다.

"만약…… 너만 괜찮다면 내가 너의 훈련을 봐줄 수도 있어. 너는 틀림없이 성장할 테니까."

하지만 상대를 생각해서 꺼낸 시드의 말은 루이제의 얼마 안 남은 자존심과 긍지를 가차 없이 난도질할 뿐이었다.

"닥쳐……! 요정검조차 안 가진 기사가 다 안다는 것처럼 말하지 마!"

분한 듯 쌍검으로 바닥을 때리고서 루이제가 외쳤다.

"《야만인》 시드 블리체……!"

루이제는 부모의 원수라도 보는 것처럼 날카로운 눈빛으로 시드를 쏘아보았다.

"무자비하며 잔인무도! 내키는 대로 전장을 돌아다니며

쌍검을 휘둘러서 내키는 대로 죽여 댄 악랄한 기사……! 그렇게 쌓은 죄업과 시체는 산보다 높았고, 결국 주군인 성왕 아르슬이 직접 죄를 물어 죽였다지! 기사로서 부끄러운 말로야……! 말 그대로 기사라고 할 수도 없는 기사야!"

"……호오? 그게 어쨌는데?"

"나는…… 너를 인정하지 않아……!"

재미있다는 듯 반응하는 시드에게 루이제는 한층 더 물어뜯을 것처럼 고했다.

"왜지……?! 왜 너 같은 기사답지 않은 기사가 기사 중의 기사 같은 얼굴로 이 나라에서 설치고 있는 거야……?!"

"……."

"기사의 긍지도 명예도 전혀 없는 너 같은 《야만인》을 나는 인정하지 않아!"

그리고 시선을 옮긴 루이제는 이번엔 앨빈을 노려보았다.

"너도 마찬가지야……! 앨빈 왕자……!"

"……?!"

느닷없이 호명당한 앨빈이 눈을 깜빡였다.

"제대로 된 힘도 없는 나약한 왕족 주제에! 우연히 얻은 《야만인》을 이용해서 자신의 권세를 옹졸하게 높이려고 하는 너 따위, 나는 인정하지 않아! 몰염치한 주군과 몰염치한 기사! 나는 너희를 결단코 인정하지 않아……!"

"뭐, 나는 딱히 상관없지만…… 앨빈을 그렇게 나쁘게

말하지 마. 앨빈은 여러 가지로 힘내고 있어."

시드는 특별히 기분 상한 기색도 없이 매끄럽게 넘겼다.

"시끄러워! 너도 앨빈도 이 나라를 죽음에 이르게 하는 병폐야! 너희 같은 존재가 기사의 명예와 긍지를 훼손하고 반드시 이 나라에 재앙을 가져올 거야!"

"……."

"나는…… 이 검과 기사의 긍지를 걸고 언젠가 반드시 너희를 쓰러뜨리겠어! 각오해! 《야만인》들!"

그런 말을 내뱉고서.

루이제는 신경질적으로 검을 갈무리하고 휙 발길을 돌렸다.

그리고 씩씩거리며 떠났다.

그런 루이제의 뒷모습을 바라보며 시드가 가만히 말했다.

"이것 참, 저 나이 때 여자아이는 어렵네……."

"루이제가 어렵다기보다 스승님의 말투에 문제가 있는 것 같은데요."

텐코가 어이없어하며 한숨을 쉬었다.

"옛날과 현대의 감각이 달라서 그런지 자연스럽게 도발하니까……."

앨빈은 쓴웃음을 지을 수밖에 없었다.

"……? 뭐, 아무튼."

시드는 의아한 듯 고개를 갸웃하며 이야기를 계속했다.

"그러고 보니 곧 있으면 너희 1학년 종기사의 요정계 합숙이 있지?"

"아, 네……."

"그러고 보니 그렇네요……."

시드의 물음에 앨빈과 텐코가 고개를 끄덕였다.

"확실히 우리는 정당하게 과제를 수행했지만…… 아마 방금 루이제가 말한 것처럼 생각하는 학생이 많을 거예요."

"그런 학생들과 함께 한 달이나 같은 곳에서 합숙 훈련이라니…… 벌써부터 트러블 냄새가 나는데요……."

"이 합숙은 캘바니아 왕립 요정기사 학교 1학년 종기사의 이번 학기 마지막 필수 과제지만…… 벌써부터 마음이 조금 무겁네……."

그렇게 앨빈과 텐코가 얼굴을 맞대고서 한숨을 쉬고 있으니.

"……흠, 그렇군. 뭐, 이것도 좋은 기회일지도 몰라."

루이제가 떠난 방향을 흘깃 보며 시드가 그런 말을 나직이 중얼거렸다.

제3장 요정계 합숙

요정계.

이 세계― 물질계 뒤편에 존재한다는 이계.

다양한 요정들이 사는 세계.

물질계와 요정계는 평소에 절대 섞이지 않는다.

요정계에서 태어난 요정들이 때때로 세계의 틈으로 얼굴을 내밀어 사람들을 훈훈하게 하거나 놀라게 하는 정도다.

하지만 이 세상에는 결코 섞이지 않는 두 세계가 뒤섞이는 특이한 장소…… 융계가 확실히 존재했다.

이를테면 캘바니아성이 그중 하나여서, 이 성은 두 세계를 나누는《장막》역할을 하고 있었다.

그렇기에 캘바니아성에는 물질계와 요정계를 오가기 위한 다양한《문》이 도처에 존재했다.

이를테면 성의 안뜰에 있는 연못.

또는 밤중에 정해진 시간에만 나타나는 문이나 계단.

혹은 성내 롱 갤러리에 걸린 어떤 그림.

아니면 성내 어떤 의상실에 조용히 잠들어 있는 전신 거울 등.

성 곳곳에 있는 다양한 형태의《문》이 요정계의 다양한

장소로 이어져 있었고, 그《문》을 이용하여 물질계와 요정계를 오갈 수 있었다.

성의 지하 서고 한편에 있는 금단의 서적을 읽으면 특수한 요정계에 갈 수 있는 등 별난 패턴도 존재했다.

이 성은 살아 있는 마법 건물이기에, 아무도 모르는《문》에 우연히 들어가 그대로 행방불명되는 자도 아주 간혹 나올 정도였다.

그리고.

캘바니아 왕립 요정기사 학교의 종기사라면 누구나 확실하게 알며, 누구나 맨 처음 발을 들이게 되는《문》과 요정계가 있었다.

캘바니아성 중층에 있는《호반의 여인》신전 구획. 제사장 안쪽— 빛의 요정신 조각상 뒤편에 숨어 있는 작은 문.

그 문을 지나면—.

————.

"으으응~~!"

시드가 기지개를 켜고서 아침 공기를 한껏 들이마셨다.

맑은 물이 가득 담긴, 바다처럼 넓은 호수의 언저리였다.

호면에는 무수한 검이 물에 꽂힌 것처럼 떠 있었다.

그런 신기한 호수를 깊은 숲이 둘러싸고 있었고, 주변에

는 아침 안개가 끼어 있었다.

호수의 정중앙에는 작은 섬이 있었고, 낡은 사당이 서 있었다.

귀를 기울이면 여기저기서 다양한 요정의 기운이 느껴졌다.

하지만— 한가로운 것은 호수 주변까지였다.

호수를 둘러싼 숲의 깊은 곳에는 햇빛이 들지 않아서, 사람이 알지 못하는 위험한 존재가 어둠 속에서 숨을 죽인 채 이쪽을 잡아먹을 기회를 호시탐탐 노리고 있는…… 그런 분위기였다.

그렇게 빛과 어둠이 뒤섞인 장소를 둘러보고 시드가 말했다.

"참 좋은 아침이야."

"……여기서 그런 태평한 소리를 할 수 있는 사람은 스승님뿐이에요……."

모닥불 옆에서 휴대용 담요를 덮고 누워 있던 텐코가 졸린 눈을 비비며 느릿느릿 일어났다.

"그러니까 말이야……. 이렇게 무서운 야영은 처음이야……."

"맞아요……. 한밤중에 때때로 정체 모를 요마의 울음소리가 들려서……."

"으으…… 별로 못 잤어요……."

"……젠장. 앞날이 걱정되네."

크리스토퍼, 일레인, 리네트, 세오도르도 느릿느릿 몸을 일으켰다.

"이거…… 익숙해지는 걸까……?"

다른 학생들보다 일찍 일어나 호수 물로 세수하던 앨빈도 역시 어딘가 잠이 부족해 보였다.

"무슨 소리야. 전장에 나가면 긴장감은 이것보다 훨씬 커."

언제 조달해 왔는지 시드가 나이프로 솜씨 좋게 토끼를 처리하기 시작했다.

"모처럼 하는 야외 합숙이잖아. 이 기회에 적응해 둬."

"네……."

앨빈은 수긍하며 주위를 둘러보았다.

비슷한 야영 거점이 호숫가를 따라 여러 개 흩어져 있는 것이 보였다.

뒤란데 학급, 오르토르 학급, 앤서로 학급의 야영 거점이었다.

앨빈 일행과 마찬가지로 이 호숫가에서 하룻밤을 보낸 다른 학급의 종기사들이 깨어나 미적미적 하루의 활동을 개시했다.

요정력 1447년, 첫째 달.

4학급 합동 교류 시합으로부터 약 2개월이 지났다.

새해가 밝으며 달력상으로도 계절은 완연한 겨울.

대지가 새하얀 눈에 덮여 얼어붙을 듯한 냉기에 지배되고, 가만히 추위를 견디며 곧 찾아올 봄을 기다리는 1년 중 가장 혹독한 시기.

땅에 쌓인 눈과 혹독한 겨울 추위 때문에 종기사들의 훈련이 정체되는 이 시기가 되면 캘바니아 왕립 요정기사 학교에서는 어떤 연례 과제를 학생들에게 준다.

그게 바로 요정계 합숙이었다.

캘바니아성의 이면에 있는, 기후적으로 지내기 편한 요정계에서 모든 학생이 한 달 정도 체재하며 합동 훈련을 하는 것이다.

전시에 대비한 야영 실습도 겸하고 있어서 식량도 대부분 현지에서 조달해야 하기에 생존술 훈련이라고 해도 과언이 아니었다.

아주 혹독한 과제인지라, 단순한 전투 훈련과는 방향성이 다른 고단함을 견디지 못하고 중도 포기하여 종기사를 그만두는 자조차 나오는, 1년간의 학교생활 최후의 난관이었다.

"뭐, 이걸 끝내고 돌아갈 즈음에는 너희도 힌층 성장해 있을 거야. 힘내라."

"하지만…… 왜 하필이면 《검의 호수》 주변에서 하는 거죠?!"

크리스토퍼가 너무너무 싫다는 듯 외쳤다.

"요정계 1층 《햇빛 수해》라든가. 여기 말고도 더 안전한 곳이 있잖아요!"

"너 바보야? 안전하면 수행이 안 되잖아."

세오도르가 어이없어하며 말했다.

1학년 종기사의 합숙 장소— 요정계 **9층** 《검의 호수》.

사실 이곳은 층이 무수히 존재하는 요정계 중에서도 꽤 심층 구역이었다.

요정계는 심층에 이를수록 출현하는 요마가 강해지고 수색 위험도가 커진다.

어떤 목적 때문에 캘바니아성 《호반의 여인》의 신전 구획에 있는 제사장과 이 층은 직통 【요정의 길】로 연결되어 있었다.

하지만 원래는 종기사 따위가 간단히 발을 들이면 안 되는 곳이었다.

"너희도 알다시피 《검의 호수》는 캘바니아의 기사에게 아주 신성하고 특별한 장소야."

"그렇죠……. 이 학교에 입학한 학생은 우선 이곳에서 요정검을 받으니까요……."

"맞아요. 즉. 기사로서의 저희가 시작된 곳이라고 할 수 있죠."

앨빈과 텐코는 호수 위에서 흔들리고 있는 검들을 바라보았다.

호면에 꽂힌 검은 전부 요정검이었다.

입학 당시 본의 아니게 지령위 요정검에게 선택받고 앞으로 자신들은 어떻게 될지 불안에 떨었던 것도 지금은 좋은 추억이었다.

1학년 종기사가 매년 이곳에서 합숙하는 것에는 기사가 되고자 한 초심을 잊지 말라는 누군가의 기도나 바람이 담겨 있는 걸지도 모른다.

"뭐, 그런 거지."

시드가 온화하게 말했다.

"그래서 호수 주변에는 성스러운 결계가 쳐져 있어. 이 층은 요정계 심층이라서 위험한 요마가 우글거리지만, 그 결계 덕분에 호수 주변에서 활동하는 건 문제없으니까 걱정하지 마. 어디까지나 호수 주변에서 활동하는 건 말이야."

""""으엑…….""""

머리로는 이해하지만, 죽음이 늘 곁에 있는 상황이었다.

학생들은 질린 얼굴로 신음할 수밖에 없었다.

그때, 그런 학생들을 내버려 두고서 텐코가 앨빈에게 슬쩍 귓속말했다.

(저는 솔직히 이 **층**의 위험**성**보다 앨빈이 걱정돼요.)

(아, 아하하…….)

텐코의 귓속말에 앨빈이 쓴웃음을 지었다.

앨빈은 여자였다. 다른 사람들에게는 성별을 숨기고 있

었다.

동료들과 야외에서 한 달이나 함께 먹고 자며 여자임을 숨기려면 여러 가지로 어려웠다.

(뭐…… 이자벨라에게 이것저것 마법 도구를 받아 왔고…… 텐코와 시드 경도 있으니까…… 괜찮아.)

(그럼 다행이지만…….)

그렇게 텐코가 친구를 걱정하고 있으니.

"오늘 아침밥은 내가 만들어 줄 테니까 너희도 빨리 끝내고 와."

시드가 잘라 낸 토끼 고기에 향초(허브)와 향신료(스파이스)를 듬뿍 뿌리고 모닥불로 굽기 시작했다.

"와아! 감사합니다, 교관님!"

"그, 그러고 보니 배고프네요……."

고기가 익는 향긋한 냄새에 리네트와 일레인이 침을 꼴깍 삼켰다.

"그러고 보니…… 어제는 성에서 이 층까지 밤새【요정의 길】을 걷는 강행군 뒤에 간이 야영장을 설치하느라 거의 아무것도 못 먹었어……."

크리스토퍼조차 배고픔을 견디지 못하고 안절부절못했다.

"고마워요, 교관님! 그럼 얼른 세수하고 와야겠다!"

그렇게 크리스토퍼가 희희낙락 자리에서 일어나자.

"음? 세수? 아니, 틀렸어."

시드가 어이없다는 얼굴로 손을 내저었다.

"어? 틀렸다니……?"

"그게 무슨 말이죠? 아침 먹는 거 아니었나요?"

일레인이 의아해하며 고개를 갸웃하자.

"저걸 말한 거야."

시드가 어떤 방향을 척 가리켰다.

그곳에는— 좌르륵.

중후한 전신 갑옷이 인원수만큼 놓여 있었다.

"""…………."""

이 학급에서는 너무나 당연한 갑옷의 등장에 학생들은
침묵했다.

심지어 자세히 보니 그 갑옷들은…… 평소 입던 것보다
확연하게 크고 무거워 보였다.

"어, 으음~? 시드 경……? 설마 빨리 끝내라는 건……?"

앨빈이 어색하게 굳은 얼굴로 조심조심 묻자.

"당연히 저거지. 다녀와."

"""저거 여기서도 하는 거예요오오오오오오오오—?!"""

학생들은 절망의 비명을 질렀다.

"아~ 첫날이니까 이 호수를 한 바퀴만 돌면 돼."

"한 바퀴?! 바다처럼 무식하게 큰 이 호수를 한 바퀴 돌
라고요?!"

"몇 킬로미터는 될 거예요!"

"참고로 빨리 안 오면 고기가 없어질 거야. 즉, 아침은 굶는 거지."

"""악마아아아아아아아아아아아아—!"""

다 익은 따끈따끈한 고기를 바로 맛있게 먹기 시작한 시드를 보고 학생들은 울상을 지은 채 황급히 갑옷을 껴입었다.

"그나저나— 《검의 호수》인가."

절그럭절그럭 소리를 내며 달려가는 학생들을 배웅한 뒤.

시드는 고기를 먹으며 그리운 듯 먼 곳을 보았다.

바다처럼 넓은 호수 너머— 울창하게 우거진 대삼림을 지나 더 뒤편에 있는 산들의 가장 높은 정상.

그곳을 아득한 눈으로 올려다보며 시드가 중얼거렸다.

"옛날 생각이 나네. ⋯⋯여러모로."

―――――.

여차여차하여 요정계 합숙이 시작되었다.

합숙 커리큘럼은 평소처럼 새벽, 오전, 오후로 나뉘어 있었다.

그중 새벽과 오전은 각 학급별로 학급의 지도 방침에 따라 이루어졌다.

그리고 오후부터는 4학급 합동 훈련이었다.

"참 좋네."

시드는 호숫가를 여유롭게 산책하며 중얼거렸다.

아침 식사 후, 시드는 변함없이 학생들에게 전신 갑옷을 입히고 달리기 훈련을 시켰다.

「점심까지 최소한 열 바퀴」라고 말했을 때 학생들이 보였던 비통한 표정은 완전히 무시했다.

"요정계 심층은 마나가 풍부하니 말이지. 확실하게 호흡하면서 달리면 그만큼 몸에 마나가 정착하여 단련돼. 여기 있는 동안에는 달리기만 해도 될 정도야."

학생들이 들으면 창백해져서 울어 버릴 소리를 하며 시드는 산책을 계속했다.

저 멀리 학생들이 호숫가를 달리는 모습이 작게 보였다.

그리고 동시에 다른 학급이 훈련하는 모습도 눈에 들어왔다.

각 학급을 담당하는 교관 기사의 열성적인 지도하에 다들 진지하게 훈련하고 있었다.

"근데…… 새삼 이렇게 보니 학급별로 훈련법이 제각각이네."

흠흠, 하고 시드는 그 풍경을 바라보았다.

호숫가에서 나란히 요정검을 들고 다 같이 화력마법을 날리고 있는 건 주로 빨강 요정검 사용자로 구성된 뒤란데 학급이었다.

한편 숲의 나무 그늘에서 검을 땅에 꽂고 조용히 명상하고 있는 건 주로 초록 요정검 사용자로 구성된 앤서로 학급이었다.

그리고 자신의 요정검에게 고대 요정어로 말을 걸며 새로운 요정마법을 고안해 내려고 하는 건 주로 파랑 요정검 사용자로 구성된 오르토르 학급이었다.

얼핏 보면 각 학급의 훈련법은 각양각색 같다.

하지만 그 훈련법들의 근본은―.

"역시 「얼마나 요정검에서 힘을 끌어내는가」에 중점을 둔 훈련인가."

으음~ 하고 시드가 복잡한 얼굴로 머리를 긁적였다.

"확실히 그런 훈련도 필요하긴 하지만…… 그것만 해서야, 원."

말하자면 그들은 요정검만 몰아붙이고 있었다. 블리체 학급 학생들처럼 자신을 극한까지 몰아붙이지는 않았다.

물론 그들이 훌륭한 기사가 되기 위해 필사적으로 노력하고 있는 분위기는 전해졌다. 실제로 강해지기 위해 진지하게 훈련하고 있을 것이다. 얼굴에서 보였다.

하지만 역시 시드가 생각하기에 요정검을 휘두르는 자기 자신의 단련이 압도적으로 부족했다. 현대 기사의 「미적지근함」이 느껴졌다.

그리고.

그들도 진지하기에, 전신 갑옷을 입고 달리는 학생들에게 이런 시선을 보내고 있었다.

바로—.

「왜 너희는 그런 놀이 같은 훈련을 하는 거야?」

「약한 요정검과 바보 같은 훈련법.」

「그런 너희가 어째서 그만한 성과를 계속 올리는 거야?」

「어째서 너희가 우리보다 강해진 거야?」

「우리가 너희보다 훨씬 진지하게, 진심으로 노력하고 있는데.」

「우리가 더—.」

"저렇게 달리는 게 얼마나 힘든지는 실제로 해 봐야 아니까."

시드가 쓴웃음을 지었다.

"옛날 생각 나네. 나도 예전에는 곧잘 토했었지."

다른 학급 학생들이 달리기 훈련을 놀이라고 여기는 것은 요정검에서 힘을 끌어내는 게 전제로 깔려 있기 때문이었다.

지금 앨빈 일행이 입고 있는 전신 갑옷.

그건 확실히 평범한 인간에게는 어마어마한 중량이지만,

기사가 요정검을 잡아 마나를 공급받으면 깃털처럼 가볍게 느껴질 무게였다.

그렇기에 달리기 훈련이 놀이처럼 보이는 것이다.

실제로는 달리기 중에 요정검 사용은 금지였다.

또한 블리체 학급 학생들은 외부에서 마나를 들여 자기 것으로 승화하고 연소시키는 윌이란 기술을 터득했으나 그것도 사용 금지였다.

이 달리기 훈련은 더 강한 윌을 다듬기 위해 심장과 폐를 단련하는 훈련이기 때문이다.

그래서 본연의 육체를 극한까지 몰아붙여야 했다.

몰래 윌을 써서 달리기 훈련을 적당히 넘기려는 기색이 감지되면 시드는 가차 없이 그 학생에게 번개를 날려 벌을 줬다.

실제로 예전에 달리는 게 너무 힘들어서 몰래 윌을 썼던 텐코와 크리스토퍼에게 몇 번 벌을 줬더니 이제 블리체 학급에 편법을 쓰려고 하는 학생은 없었다.

"뭐, 학급별로 담당 교관의 방침이 있는 거니까 어쩔 수 없지. 나는 날 믿고 따라와 주는 녀석들을 이끌 뿐이야."

그렇게 말하고 시드는 산책을 재개했다.

'하지만…… 역시 이대로 있을 수도 없어…….'

요정검에 숙달하는 다른 학급의 훈련도 확실히 전혀 무의미하진 않았다.

강해지는 데 중요한 일이었다.

다만 그 이상으로 더 단련해야 할 중요한 게 있을 뿐이다.

'그리고…… 주군의 최종 목표를 감안하면……. 흠, 어쩔까……?'

그렇게 생각하며 호숫가를 산책하고 있으니.

"……!"

문득 시야 끄트머리에 낯익은 빨간 머리 소녀의 모습이 잡혀서 시드는 발을 멈췄다.

오르토르 학급의 훈련 장소와 떨어진 곳에서 혼자 묵묵히 검을 휘두르고 있는 그 빨간 머리 소녀는—.

"루이제."

루이제는 시드의 접근을 진즉에 눈치챘을 터다.

하지만 시드를 무시하고 담담히 요정검을 계속 휘둘렀다.

요정검에서 공급되는 마나를 몸 구석구석으로 보내며 훈련을 이어갔다.

역시 진지하게 임하고 있는지.

루이제의 이마에 구슬땀이 맺혀 있었다.

그런 루이제 곁으로 여유롭게 걸어간 시드는 가볍게 손을 들어 인사했다.

"혼자서 뭐 해?"

그러자— 아주 긴 간격을 두고서.

"……당연한 것 아닌가? 단련 중이야."

루이제가 검을 계속 휘두르며 짜증스레 말했다.

"혼자? 왜?"

"왜? 물을 걸 물어!"

루이제가 검에 힘을 주며 외쳤다.

"나는 신령위야! 선택받은 존재야! 다른 수준 낮은 녀석들과 함께 단련해 봤자 얻는 건 전혀 없어! 발목 잡혀서 수행을 방해받을 뿐이야!"

"그래?"

시드가 루이제와 다른 학생들을 번갈아 보고서 중얼거렸다.

"말해 두는데…… 너희 전부 도토리 키 재기야."

"──!"

시드의 지적에 루이제가 일순 경직되며 훈련하던 손을 멈췄고.

"다, 닥쳐어어어─!"

휘휙!

가차 없이 시드에게 쌍검을 휘둘렀다.

쌍검이 전광석화처럼 공기를 베며 다가왔다.

하지만 시드는 당연하다는 듯 훌쩍 피했고.

"확실히 「궁극」의 단계에 이를 때는 고독한 개인 훈련이 필요해. 하지만 네가 그 영역에 도달하려면 멀었어. 혼자 수행해 봤자 비효율적이야."

한숨을 쉬며 지적했다.

"제대로 모두와 함께 절차탁마해. 그편이 그나마 도움이 될 거야. 자신보다 급이 낮은 사람한테서 배우는 것도 많아."

"닥치라고 했지! 대체 네가 뭘 아는데?!"

여전히 검이 스치지도 않아서 화가 났는지 루이제는 쌍검으로 연신 땅을 때리며 고함쳤다.

"나는 강해져야만 해! 내 기사의 긍지를 걸고 이 왕국에서 가장 뛰어난 기사가 되어야 해! 원래부터 규격을 벗어난 네놈의 헛소리에 어울려 줄 여유 따위 조금도 없어!"

루이제는 한없이 시드를 거부했다.

그런 루이제에게 시드가 말했다.

"그렇군. 네가 왜 기사가 되려고 하고 무엇을 짊어지고 있는지…… 나는 몰라. 하지만 네가 정말 진지하다는 건 알아."

"……!"

"그렇기에 아까워. 루이제. 시험 삼아 내 지도를 받아 보지 않을래? 지금 상태로는 단련하는 불의 열기가 부족해. 그릇에 비해 작게 완성될—."

"거절하겠어!! 꺼져!!"

루이제가 시드의 코끝에 검을 들이댔다.

루이제는 이제 시드와의 대화 자체를 완전히 거부하고 있었다.

뭘 어떻게 해 볼 여지도 없었다.

이 이상 루이제랑 있어도 부질없는 시간이 될 것 같았다.

"……미안. 방해했네. 열심히 해."

머리를 긁적이며 발길을 돌린 시드는 다시 산책을 시작했다.

───────.

"그나저나…… 현대의 기사도 생각보다 제법 쓸 만하네."

호숫가를 걸으며 시드가 미소 지었다.

"확실히…… 전설 시대와 비교하면 현대의 기사는 약해졌어. 기사의 원칙은 잊히고 형해화됐어. 기사라는 직함만을 바라며 타락한 자도 많아."

시드는 단련에 참여하는 척하면서 몰래 농땡이 부리고 있는 학생들을 찾아내며 생각했다.

"하지만 기사의 근본적인 혼…… 긍지 같은 것은 아직까지 숨 쉬고 있어. 그저 방향이 잘못됐을 뿐이지. ……어떻게든 해야겠어."

그때였다.

"……."

시드가 불현듯 발을 멈췄다.

엉뚱한 방향을 휙 돌아보며 눈을 찌푸리고 먼 곳을 응시했다.

한동안 시드는 그렇게 엉뚱한 방향을 보고 있었지만.

"⋯⋯기분 탓인가."

이윽고 그런 말을 나직이 중얼거리고서.

뚜둑뚜둑 목을 풀며 산책을 계속했다.

─────.

"흥⋯⋯ 너무 접근했나."

각 학급의 야영지에서 아득히 멀리 떨어진 곳.

결계의 힘이 미치는 범위의 훨씬 바깥.

숲이 끝나고 암벽이 늘어선 산의 한구석. 호수가 내려다
보이는 낭떠러지 끝자락에.

한 기사가 서 있었다.

"하마터면 들킬 뻔했어. 역시 《야만인》 시드⋯⋯ 여전히
빈틈없는 모양이야."

검은색 전신 갑옷과 외투를 걸친 기사였다.

풀페이스 투구를 쓰고 있어서 얼굴이 어떻게 생겼는지는
알 수 없었다.

하지만 투구의 형태와 어깨에 달린 깃딜 장식 등은 어딘
가 올빼미를 연상시켰다.

그리고 무엇보다 전신에서 흘러넘치는 압도적인 어둠의
마나— 마치 그 기사가 있는 곳에만 심연이 펼쳐져 있는

것 같은 모습을 보면 명백하게 보통내기가 아니었다.

그 기사는 올빼미 경이라고 불리는 자였다.

이번에 엔데아의 왕명으로 시드를 처리하러 온, 오푸스 암흑교단·암흑기사단의 자객이었다.

"그나저나…… 시드라."

올빼미 경이 불쑥 그 이름을 중얼거렸을 때.

주변 일대가 어둡게 가라앉으며 공간이 일그러졌다.

압도적인 증오와 분노가 올빼미 경의 전신에서 흘러나왔다.

"네놈이 내게 준 원독(怨毒)과 굴욕의 나날은 절대 못 잊지……."

그 순간.

올빼미 경은 머나먼 옛 기억을 떠올렸다.

아아, 생각난다.

지금으로부터 약 1천 년 전. 전설 시대의 정경이―.

~~~~~.

"다들 이번에 잘 싸워 줬다!"

눈부신 금색 머리를 장식한 고귀한 왕관, 현란한 갑옷과 망토를 걸친 미청년― 위대한 나의 주군, 성왕 아르슬의 목소리가 울려 퍼졌다.

그곳은 캘바니아성 알현실.

왕을 섬기는 용맹한 기사 일동이 위풍당당하게 정렬하여 주군의 말을 정숙히 경청하고 있었다.

　"제군의 헌신과 충성 덕분에 우리나라를 위협하는 동쪽 오랑캐[바바리아] 국가의 침공으로부터 백성을 지킬 수 있었다! 주군으로서 진심 어린 찬사와 영예를 보내노라!"

　그러자 한데 모인 기사들이 잇따라 외쳤다.

　"과분한 말씀입니다!"

　"우리의 검은 왕을 위해!"

　"왕의 검이 되어 이 나라와 민초를 지키는 것이야말로 저희의 바람입니다!"

　"그것이야말로 우리 캘바니아 기사의 숙원입니다!"

　차례차례 터져 나오는 그런 말들을 듣고 주군은 감격한 듯 눈물을 글썽였다.

　"제군과 같은 진정한 기사들의 충성을 받다니…… 나는 행운아로군."

　그리고 한 호흡 쉬고서 일동을 둘러보며 고했다.

　"물론 나는 제군의 충성에 보답하여 전원에게 충분한 은상을 줄 것이다. 그리고― 이번 싸움의 특급 공로상은…… 우리나라의 승리에 가장 공헌한 기사 중의 기사가 있있지?"

　왕의 그 말에 기사들이 얼굴을 마주 보며 술렁거렸다.

　다들 「응. 당연히 그 남자겠지」 하고 말하는 듯한 표정으로 고개를 끄덕였다.

이번 싸움에서 가장 명예로운 공적을 올린 기사는 누구인가?

그건— 나다.

나 말고는 없을 터다.

왕국 제일의 지혜와 용기를 겸비한 나 말고는 있을 수 없다.

그럴 텐데—.

"시드 경…… 앞으로."

왕은 언제나 엉뚱한 자를 부당하게 치켜세운다.

완벽하며 숭고한 주군의 유일한 오점. 사람 보는 눈이 없다는 것. 혹은 편애.

"……예."

야만인이 내 앞을 여유롭게 지나갔다. 옥좌로 향했다.

야만인이 왕 앞에 무릎 꿇고 고개를 숙였다.

여느 때와 같은 태연한 옆모습이 마치 내게 이렇게 말하는 것 같았다.

「어때? 나는 너 따위 안중에 없어.」

그 천연덕스러운 얼굴에 나는 항상 이를 악문다.

저딴 남자, 내가 진짜 실력을 발휘하면 내 발끝에도 못 미치는데—.

"역시 시드 경인가!"

"당연하지! 이번에도 시드 경의 활약은 훌륭했어!"

"로거스 경도, 루크 경도, 리피스 경도 훌륭했지만, 역시 시드 경은 독보적이었으니 말이지!"

"사자분신이란 바로 그런 걸 말하는 거 아니겠어?"

"우리도 시드 경 덕분에 몇 번이나 목숨을 건졌잖아!"

"역시 《섬광의 기사》! 우리나라가 자랑하는 《4대 기사》 중 하나야!"

닥쳐. 눈이 썩어 빠진 멍청이들 같으니라고.

네놈들이 그렇게 저 야만인을 칭찬하며 부당하게 추켜세우니까 왕의 눈도 흐려진다는 걸 왜 모르지?

"시드 경. 그대의 이번 활약은 실로 훌륭했다. 그대가 없었다면 무능한 나는 많은 민초와 신하를 부질없이 잃었을 것이다. 그 공적을 기려 그대에게 특급 공로상을 주고자 한다. 어떻게 생각하는가?"

"필요 없습니다."

야만인의 즉답에 내 속은 뒤집혔다.

"왕의 검이 되어 왕의 길을 까는 것이야말로 저의 기사도이므로."

그러자 왕은 활짝 웃었다.

그건 왕으로서 웃은 게 아니있다.

친구를 향한 웃음— 어떠한 보상보다 값진 이 세상의 보물이었다.

내가 무엇보다도 갈망했던 것이었다.

"아하하! 너는 여전하네, 시드 경! 하지만 그건 안 돼. 가장 활약한 네가 안 받으면 다른 사람들도 받을 수 없어서 곤란해져."

"……윽. 뭐, 그건 그런가."

그런 두 사람의 대화에 분위기가 후끈 달아올랐다.

"으하하하하! 그건 확실히 곤란하군요!"

"시드 경! 포기하시오!"

"그렇게 필요 없으면 내가 대신 받아 줄까?!"

"우오오오오! 아르슬 왕, 만세! 시드 경, 만세!"

웃었다. 웃었다. 멍청이들이 웃었다.

이 썰렁한 공간은 뭐지?

이상하다. 다들 제정신이 아니다. 어떻게 웃을 수 있지?

진정으로 평가받아야 할 자가 제대로 평가받지 못하고, 엉뚱한 자가 과분한 영예와 보상을 손에 넣었는데.

이런 일은 일어나선 안 된다.

이런 일이 버젓이 통용되면 언젠가 나라는 붕괴된다.

위대한 왕이여, 당신은 그걸 알고 있는가—?

"자, 오늘 밤은 대연회다! 다 같이 새벽까지 먹고 마시며 이야기하자! 다 같이 우리 조국의 빛나는 내일을 그리자!"

""""오오오오오오오오오오오—!""""

왕의 선창으로 어느 때처럼 연회가, 야단법석이 시작되

었다.

많은 먹을 것과 마실 것이 준비되었고, 음유시인이 노래하고, 무희가 춤추고, 광대가 웃음을 유발했다.

그런 뻔한 술잔치 중에 나는 왕과 담소하는 야만인을 노려보았다.

'내가 시드보다 똑똑해. 시드보다 강해. 기사로서 더 뛰어나. 모든 것이 내가 압도적으로 더 훌륭해! 그런데 왜?! 왜 왕은 시드 경만……!'

왕의 옆.

왕의 무한한 신뢰를 한 몸에 받는 왕의 첫째 기사 자리.

기사로서 최고의 영예를 누리는 곳.

그곳에 있어야 할 기사는— 나일 터다.

명예로운 캘바니아 기사의 대들보이자 귀인인 내 역할이지, 저딴 지저분한 야만인의 역할일 리가 없다.

나는 저 남자의 본성을 알고 있다.

저 남자의 본성은— 문자 그대로 「악귀」다.

원래 같았으면 위대한 왕의 곁에 서는 데 가장 부적합한 남자다. 기사가 될 수 없는 필부다.

지금이야 기사 중의 기사 같은 얼굴을 하고 있지만…… 나는 알고 있다.

저 녀석의 정체를. 진정한 얼굴을.

설마 그 검을 버린 것 정도로 다시 태어났다고 생각하는

건가?

그럴 리 없다.

아무리 시간이 지나도 저 녀석의 본질은 악귀 나찰이다.

존재 자체가 비열하고 천한 야만인이다.

그렇기에 나는— 저 녀석을 용납할 수 없다.

저딴 남자가 이 세상에서 가장 뛰어난 기사인 나보다 높은 곳에 있는 것을 용납할 수 없다.

'《야만인》 시드…… 너만큼은 언젠가 내 손으로……!'

~~~~~.

"……."

과거를 헤매던 올빼미 경의 의식이 현대로 귀환했다.

그리고 다시 마법의 눈을 사용해 아득한 저편에 있는 시드를 관찰했다.

"……홋, 웃기는군."

시드를 관찰하던 올빼미 경이 풀페이스 투구 안쪽에서 웃었다.

"난 무슨 농담인 줄 알았어! 정말로 저게 《야만인》 시드 블리체인가? 고작 한 번 죽은 것 정도로 저렇게 약해지다니! 역시 그 정도밖에 안 되는 남자인가! 승부가 어떻게 될지는 뻔하군! 역시 내가 압도적으로 강해! 예나 지금이나!"

그렇게 올빼미 경은 환희와 희열에 떨었다.

그러나—.

"하지만 너를 죽이기엔 아직 일러."

우두둑…… 건틀릿에 덮인 손에서 소리가 날 만큼 주먹을 움켜쥐고서 올빼미 경이 내씹듯 말했다.

"그냥 죽이는 것만으로는 부족해. 그 옛날 네가 얼마나 내 긍지를 훼손했는지 너는 모르겠지……."

올빼미 경의 전신에서 날카로운 노기가 일었고 그에 압도된 숲이 술렁거렸다.

"나는 일찍이 너에게 빼앗긴 모든 긍지를 되찾겠어……. 너의 기사로서의 모든 것을 부정해서 대체 누가 그분의 제일가는 기사였는지를…… 드높이 증명해 내겠어……. 내 기사의 긍지를 걸고……! 하하, 하하하하하!"

그렇게 말하고서.

올빼미 경은 낮게 웃었다.

깊은 어둠이 서린 웃음을 어두운 숲속에 흘렸다.

지금, 고대에 양조된 짙은 악의가 움직이기 시작한다.

제4장 새바람

　각 학급별 오전 수련이 끝나고 점심시간.

　블리체 학급의 학생들은 한계까지 몰아붙인 몸에 억지로 음식을 집어넣고, 오후부터 시작될 합동 훈련에 대비해 호숫가에 누워 휴식을 취하고 있었다.

　그런 온화한 한때에―.

　"……."

　시드가 혼자 우두커니 호숫가에 서 있었다.

　호수의 중심에는 평소처럼 작은 섬이 있었고, 낡은 사당이 있었다.

　하지만 시드는 그런 의미심장한 사당에는 눈길도 주지 않고 그저 가만히 호면을 바라보고 있었다.

　호면에는 여전히 무수한 요정검이 꽂혀 있었다.

　시드는 한동안 뭔가를 동경하듯 그 검들을 바라보다가…….

　이윽고 무슨 생각을 했는지 검을 향해 슬그머니 손을 뻗었다.

그 순간.

풍덩!

마치 시드에게서 도망치듯 요정검들이 일제히 물속으로 들어가 버렸다.

"……역시 안 되나. 변함없이 이건 마음이 아프네."

시드는 포기한 듯 쓰게 웃고 머리를 긁적였다.

그때였다.

"아. 시드 경."

"뭐 하세요?"

지나가던 앨빈과 텐코가 총총 다가왔다.

시드는 조금 무안해하며 말했다.

"아~ 내가 옛날에 《검의 호수》의 모든 요정검에게 차였다는 얘기는 했었지?"

"그러고 보니 스승님이 저희 학급에 처음 오신 날 그런 말씀을 하셨었죠."

"그래. 그래서 지금이라면 어떨까 싶어서 말이야."

그런 시드의 말을 듣고 텐코와 앨빈이 어리둥절한 표정을 지었다.

"지금이라면 어떨까 싶어서……? 애초에 스승님은 검 같은 거 필요 없잖아요."

"맞아요. 시드 경의 무기는 극한에 이른 월을 활용한 도수공권. 자기 자신이 검이잖아요?"

"아~ 응. 확실히 그렇게 말했고, 실제로 그렇지만……."

시드는 어깨를 으쓱이고 가볍게 한숨을 쉬었다.

"뭐, 상관없나. 그것에 필적할 검도 없을 테고."

"……?"

그런 시드의 말에 앨빈과 텐코가 고개를 갸웃했다.

"어라? 스승님? 그 말씀은 마치 예전에는 검을 쓴 적도 있었다는 것처럼 들리는데요……?"

"음? 그야 검을 썼지. 기사는 검을 쓰는 자잖아?"

시드가 의외라는 듯 눈을 깜빡이고서 대답했다.

"내 진정한 전투 스타일은 이도류야. 그래서《쌍검의 기사》라고 불리기도 했어."

"《…………》"

그 말을 들은 앨빈과 텐코는 넉넉히 10초간 침묵하고서.

"《네에에에에에에에에에에에에에에에에—?!》"

얼빠진 소리를 냈다.

"시, 시드 경은 검을 쓰나요?!"

"……그렇게 놀랄 일인가? 나도 기사야.《야만인》이라는 이명이 지금까지 전해져 내려온다면《쌍검의 기사》도 알려져 있을 줄 알았는데?"

그러고 보니 앨빈이 맨 처음 시드와 만났을 때, 암흑기사 지저가 시드를 「무쌍의 쌍검을 휘두른 기사」라고 말했고, 확실히 《쌍검의 기사》라는 이명도 항간에 전승으로 퍼져 있었다.

"시드 경은 도수공권 스타일로 양손을 썼기에 그렇게 전해진 줄 알았어요……."

"네에에에—?! 그, 그럼 뭔가요?! 스승님은 검을 잡으면 지금보다 더 강해지는 건가요?!"

"뭐…… 그렇게 되지."

"맙소사아아아아아아아아아아아아아아아아—!"

언젠가 시드를 이기면 털어놓고 싶은 이야기가 있다…… 예전에 그런 맹세를 해 버린 것을 텐코는 격하게 후회했다.

검을 안 가지고 있는 현시점에도 데굴데굴 굴려지고 있는데, 여기에 검까지 잡으면 인생을 몇 번 다시 시작해도 도달할 수 없을 것 같았다.

"아으, 아으, 아으, 아으……."

"……텐코, 왜 이러는 걸까요?"

"글쎄?"

울상이 되어 머리를 싸매고서 웅크린 텐코를 방치한 채 앨빈이 말을 이었다.

"하지만…… 그렇다면 시드 경은 왜 지금까지 검을 안 쓰고 맨손으로 싸운 거죠?"

"이유는 단순해. 평범한 검을 휘두를 바에야 맨손이 더

세기 때문이야."

시드는 형식상 허리에 차고 있는 강철검을 오른손으로 뽑았다.

그리고 호흡과 함께 월을 가볍게 태워서 오른손에 든 검과 왼손으로 만든 손날에 번개를 담았다.

번개 터지는 소리와 함께 검과 손날에 전광이 번쩍였고…….

"평범한 검은 내 번개와 마나압을 못 버텨. 그럼 맨손이 더 낫잖아?"

선언한 대로 오른손에 든 검이 삽시간에 바스러졌다.

"아, 아하하…… 강철검이 순식간에 타 버렸네요……. 변함없이 파격적이에요……."

시드의 비인간적인 실력에 새삼 쓴웃음을 지으며 앨빈이 말을 이었다.

"어라? 시드 경은 요정검에게 선택받지 못했죠?"

"맞아."

"하지만 평범한 검은 시드 경의 힘을 못 버텨요……. 그럼 뭔가 평범하지 않은 검을 가지고 있었던 건가요?"

"그렇게 특별한 검도 아니었어."

뭔가를 그리워하듯 시드의 눈이 가늘어졌다.

"……나는 흑요철 쌍검을 썼었어."

"흑요철……?"

앨빈도 텐코도 그 이름은 들은 적이 있었다.

통상적인 철과 달리 흑요석 같은 검은색 광택을 지닌 철이었다.

이르기를, 강성과 인성이 어마어마하게 뛰어나서 흑요철로 만든 검은 바위를 버터처럼 자른다고 했다.

다만 매우 희소했고 가공하기가 몹시 어려웠다.

현대에는 거인족 사이에서도 그 단조 방법과 가공 기술이 실전되어, 흑요철은 어디에도 이용할 수 없는 싸구려 철이라는 낙인이 찍혀 있었다.

구전에 의하면 흑요철은 하늘에서 떨어지는 벼락으로만 단련할 수 있다고 했는데—.

"뭐, 전설 시대에도 흑요철검을 쓰던 사람은 나뿐이었지."

시드가 어깨를 으쓱였다.

"흑요철이라고 하면 대단하게 들리지만, 요컨대 「좌우지간 튼튼한 검」일 뿐이야. 요정검처럼 마법을 쓰거나 신체 능력을 향상시키진 않아. 하지만…… 그래도 그것만이 유일하게 내 번개를 버틸 수 있는 검이었어."

그렇게 말하는 시드는 어딘가 먼 곳을 보고 있었다.

"……시드 경에게 소중한 검이었군요?"

"글쎄……."

어째선지 애매하게 대답하는 시드의 모습에 위화감을 느끼면서도 앨빈이 계속 물었다.

"그 검은 결국 어쨌나요?"

그런 앨빈의 물음에.

"……."

시드는 한동안 침묵하다가 장난스레 대답했다.

"어느 날, 잠깐 눈을 뗀 사이에 장난 요정이 훔쳐 갔어."

"네에에에에에에?! 그런 소중한 검을 도둑맞은 건가요?!"

텐코가 화들짝 놀라서 외쳤다.

장난 요정이란…… 박쥐 날개, 뾰족한 꼬리, 털이 덥수룩한 작은 몸과 땡그란 눈이 매력적인 요정의 일종이었다.

인간에게 명확한 악의를 가진 요마는 아니었고, 오히려 우호적인 편이라고 할 수 있지만, 장난 요정이란 이름대로 아무튼 장난치길 좋아했다.

물통이나 신발에 구멍을 뚫거나, 옷에 벌레를 넣거나, 멋대로 현관 초인종을 울리는 등…… 인간에게 작은 장난을 치는 걸 아주 좋아했고, 인간의 소지품을 변덕스레 훔쳐 가 버리는 못된 버릇이 있었다.

"이야~ 역시 그건 실수했어."

"마, 맞아요! 그런 귀중한 검을 장난 요정 따위에게 도둑맞다니요!"

그런 말을 나누는 시드와 텐코 옆에서.

앨빈은 알아차렸다.

'시드 경…… 어째서 거짓말을……?'

아무리 한눈을 팔았더라도「애용하는 검을 장난 요정에게 도둑맞아서 잃어버렸다」라는 이야기는 거짓말이다.

왜냐하면…….

앨빈이 어떤 의문을 시드에게 던지려고 했을 때.

『흐, 흑요철검이라면…… 있어…….』

갑자기 그런 목소리가 호수 쪽에서 들려왔다.

"……?!"

돌아보니 부끄러운 듯 물 밖으로 얼굴을 내민 요정검과…… 그 요정검을 끌어안은 반투명한 작은 소녀들이 있었다.

"호오? 요정검이 본래 모습을 보이다니. 별일도 다 있네."

"우와~ 귀여워!"

"저, 저게 저희가 쓰는 요정검의 정체인가요?!"

텐코가 자신의 요정검과 수면 위의 요정검을 번갈아 보며 미소 지었다.

"으음…… 저기. 흑요철검이 있다고 했는데…… 그게 무슨 말이야?"

앨빈이 살며시 다가가 한쪽 무릎을 꿇고 요정검 소녀들과 눈높이를 맞췄다.

그러자 요정검 소녀들이 각각 대답했다.

『……응…… 말 그대로야…….』

『이 층에는…… 아주 먼 옛날부터…… 흑요철검이 있어…….』

『정말 아주아주 옛날…… 내가 검이 되기 전부터 쭉…….』

"정말? 그건 대체 어디 있어?"

『이 호수에 물을 주는 산 위쪽에…….』

『무서운, 무서운 요마가 사는 저 산 위쪽에…….』

요정검 소녀들이 먼 곳을 가리켰다.

바다처럼 넓은 호수 건너편— 울창하게 우거진 대삼림 너머에 있는 산들의 가장 높은 정상을 가리키고 있는 것 같았다.

『저 산꼭대기에…….』

"……뭔가…… 무진장 머네."

"여, 여유롭게 결계의 범위를 벗어났어요. 가지러 갈 수는 없겠네요."

앨빈과 텐코가 눈을 찌푸리고서 어색한 표정을 지었다.

그러자.

"흐응? 그런 곳에 검이 있어? 자세히 들려줄래?"

별안간 시드가 요정검 소녀들에게 다가와 말을 걸었다.

그러자.

화악! 갑자기 요정검 소녀들의 얼굴이 새빨개졌고.

풍덩! 일제히 시드에게서 도망치듯 호수 속으로 사라져 버렸다.

"어이쿠. 요정검들이 날 싫어한다는 걸 깜빡했네."

시드가 과장되게 어깨를 으쓱였다.

"이야~ 아쉬운걸. 요정검이 진짜 모습으로 인간 앞에 나타나는 일은 거의 없는데 말이야. 이렇게 됐으니 검 얘기는 못 듣겠네. 내가 미움받지 않았다면 좋았을 텐데."

"응…… 응……?"

"미, 미움받는다고요……?"

한편 앨빈과 텐코는 시드의 말에 기묘한 위화감을 느꼈다.

아까 요정검들의 그 반응은 어떻게 봐도…….

""………….""

앨빈과 텐코는 미리 짜기라도 한 것처럼 호수로 다가가 얼굴을 물속에 넣었다.

그러자 그곳에…….

『꺄아~! 꺄아~! 저 멋진 기사님은 누구야?! 누구야?!』

『저렇게 강한 마나와 혼을 가진 기사님이라니……! 멋져……!』

『게다가 프리 기사님이야! 프리!』

『나 저 기사님의 검이 되고 싶어……! 하, 하지만……!』

『무리무리무리! 어떻게 그래! 우리의 검격 **따위**로는 저 기사님에게 전혀 안 어울려!』

―등등.

난리 피우며 그런 말을 나누는 **신령위** 요정검들이 있었다.

““………….””

첨벙…… 첨벙…….

앨빈과 텐코는 얼굴을 들고 게슴츠레한 눈으로 서로의 얼굴을 마주 보았다.

그리고 잠시 후 뒤에 있는 시드를 돌아보았다.

“음? 왜?”

““이 요정 킬러.””

“……어째서?”

시드는 진심으로 의아해하는 표정을 지었다.

“아무튼 시드 경, 어떻게 할래요?”

“뭘 어떻게 해?”

앨빈의 물음에 시드가 고개를 갸웃했다.

“요정들 말로는 저 산꼭대기 부근에 흑요철검이 있다잖아요.”

“아, 맞아요! 어쩌면 그 검, 장난 요정에게 도둑맞은 스승님의 검일지도 몰라요!”

“저희는 무리지만…… 시드 경이라면 가시러 갈 수도 있을 텐데…….”

그런 앨빈의 제안에 시드는 한동안 침묵하다가.

이윽고.

"아냐, 됐어."

그렇게 말하며 온화하게 고개를 저었다.

"내 검은 장난 요정이 훔쳐 갔어. 그 검은 이제 안 돌아와."

"하, 하지만…… 만약 다른 검이더라도 귀중한 흑요철검이에요!"

텐코가 황급히 시드에게 다가가 주장했다.

"만약 입수한다면 반드시 시드 경의 힘이 될 거예요……!"

그러자.

별안간 시드가 텐코의 머리를 헝클어뜨렸다.

"으아?!"

얼굴이 새빨개져서 귀를 쫑긋 세우는 텐코를 내버려 둔 채.

"날 생각해서 하는 말이라는 건 알아. 고맙다."

시드는 예의 그 산을 흘낏 보았다.

"하지만 지금의 나에게 검은 필요 없어. 걱정하지 마. 출처 불명인 검 따위 없어도 너희와 이 나라를 지켜 내겠어."

"그런가요……."

텐코는 납득하지 못하는 것 같았지만, 시드가 그렇게 말하니 물러날 수밖에 없었다.

하지만 앨빈은 어렴풋이 알 수 있었다.

'역시 시드 경은…… 뭔가 숨기고 있어…….'

대체 시드는 왜 산꼭대기에 있는 흑요철검을 거부하는가.

애초에— **전설 시대의 시드는 왜 요정검에게 선택받지 못했는가?**

'이상해……. 조금 전 요정들의 반응을 보면, 시드 경에게 걸맞은 검격의 검이 없었기 때문이라고 해도 이해는 가. 하지만 현대의 요정검보다 전설 시대의 요정검이 더 강했다고 해. 당시 요정검들의 반응도 오늘처럼 호의적이었다면…… 시간을 들여서 잘 찾아보면 시드 경을 택해 주는 요정검이 반드시 있었을 거야. 그런데 **전설 시대의 시드 경**은 왜 요정검에게 선택받지 못한 거지?'

앨빈은 도무지 짐작도 할 수 없었다.

하지만…….

"……."

어딘가 아득한 눈으로 산을 바라보는 시드를 보니 아무것도 캐물을 수 없었다.

"……자, 점심시간도 슬슬 끝이야."

이윽고 생각났다는 것처럼 시드가 발길을 돌렸다.

"오후 합동 훈련이 시작될 거야. 낮잠 자는 녀석들을 깨워서 바로 집합한다."

"앗, 네……."

이리하여.

검에 관해서는 유야무야 넘어간 채 해산하게 되었다.

———————.

요정계 합숙, 오후 훈련 시간이 되었다.

오후부터는 4학급 합동으로 훈련이 이루어질 예정이었다.

사실만을 단적으로 말하자면, 전통 3학급인 뒤란데 학급, 오르토르 학급, 앤서로 학급의 교관 기사와 학생들은 시드가 교관을 맡은 블리체 학급을 탐탁지 않게 여겼다.

블리체 학급 자체가 캘바니아 왕립 요정기사 학교의 전통을 뚜렷하게 파괴하는 변칙적인 존재인 데다가, 블리체 학급을 구성하는 학생들 전원이 지령위라는 낮은 검격의 요정검을 뽑은「낙오자」이기 때문이다.

실제로 처음에「낙오자」학급은 그 말이 표현하는 대로 다른 학급에 미치지 못하는 송사리들의 모임이었다.

하지만 시드 블리체라는 이상한 기사가 교관으로 부임하자마자「낙오자」들은 엄청난 기세로 두각을 드러내기 시작했다.

최근 들어 전통 3학급은 정기적으로 열리는 모의전에서 블리체 학급을 전혀 이기지 못했다.

그리고 전통 3학급조차 달성하기 어려운 난이도의 과제를 블리체 학급은 척척 소화하여 성과와 실적을 올리고 있었다.

자신들이야말로 선택받은 엘리트라고 생각했던 전통 3학급의 학생들에게는 그저 재미없는 수준을 넘어선 이야기였다. 이쯤 되면 자신들의 입장을 위협하는 공포였다.

물론 앨빈 일행도 전통 3학급의 학생들이 자신들을 탐탁지 않게 여긴다는 것을 알고 있었다.

그래서 4학급 합동 훈련이라고 들었을 때는 안 좋은 예감만 들었다.

그리고 그 예감은 훌륭하게 적중했다.

"……요마 소탕? 4학급 합동으로?"

호수에서 조금 떨어진 숲속.

탁 트인 들판에 정렬한 학생들 앞에서.

시드는 전통 3학급 교관들의 제안에 흠 하고 고개를 끄덕였다.

"네, 합숙 첫날에 호수 주변의 요마를 소탕하는 건 매해 전통이에요."

앤서로 학급의 필두 교관 기사— 머리를 땋아 내린 묘령의 여성 마리에가 말했다.

"그래, 맞아. 앞으로 한 달간 우리는 공동으로 이 호숫가에서 지낼 거잖아? 안전 확보는 최우선이지."

뒤란데 학급의 필두 교관 기사— 난폭해 보이는 거한 자크도 콧방귀를 끼며 말을 이어받았다.

"호숫가에 쳐진 결계의 효과는 호수에서 멀어질수록 감소합니다."

오르토르 학급의 필두 교관 기사— 단안경을 쓴 청년 크라이스가 미워 죽겠다는 표정으로 시드를 노려보며 덧붙였다.

"이 결계는 강력한 요마에게 더 큰 힘을 발휘하는 술식이라, 호수와 가까울수록 약한 요마가, 호수에서 멀어질수록 강한 요마가 나타납니다."

"아아, 그렇군. 알았어. 이해했어."

납득한 시드가 주먹으로 손바닥을 툭 쳤다.

"즉, 호숫가에 출몰하는 약한 요마를 냉큼 토벌해서 이후의 합숙을 안전하게 치르자는 거지? 그걸 학생들에게 시키자는 건가."

"네, 맞습니다."

크라이스가 거만하게 콧방귀를 뀌었다.

아무래도 크라이스는 요전번 교류 시합 때 블리체 학급에게 된통 당하고 앙심을 품었는지 시드에 대한 혐오를 숨기려 들지도 않았다.

크라이스뿐만 아니라 마리에와 자크도 비슷한 것 같았다.

시드를 대하는 태도는 어딘가 쌀쌀맞고 뾰족했다.

하지만 시드는 그런 필두 교관 기사들의 적의를 전혀 신경 쓰지 않으며 간단히 말했다.

"그렇군. 좋은 전통이야. 요마와 싸우는 실전 훈련도 돼. 당장 시키자고."

시드가 그렇게 긍정적인 태도를 보이자.

"하지만…… 그저 평범하게 요마 소탕을 시키는 것도 재미가 없죠."

크라이스가 도발하듯 말했다.

"승부하지 않겠습니까?"

"……음? 승부?"

크라이스가 품에서 책자 하나를 꺼내 시드에게 내밀었다.

시드는 그걸 받아 팔락팔락 넘겼다.

각 페이지에 있는 그림과 글자를 읽어 나갔다.

"어디 보자. 흑요견^{블랙독} 1점…… 적모귀^{레드캡} 3점…… 소귀 요정^{고블린} 2점…… 수서마^{켈피}(水棲馬) 7점…… 으음…… 이게 뭐야?"

"그건 이 층에 서식하는 요마와 그 위험도에 따른 토벌 평가점을 정리한 목록입니다."

"요컨대. 각 학급별로 사냥한 요마의 합계 점수를 겨루는 거지."

"역시 경쟁이야말로 서로의 실력을 높이는 비결이니까요."

교관 기사들은 뻔뻔하게 그런 소리를 했다.

"흠흠."

시드는 교관 기사들의 말을 적당히 흘려들으며 책자를 계속 넘겼다.

그런 시드에게 크라이스와 마리에가 말했다.

"그리고 이 승부에서 이긴 학급의 교관 기사는 가장 지도력이 뛰어난 교관 기사라는 게 됩니다.”

“그러니 이번 합숙은 그 교관 기사를 총감독으로 삼아 모든 학생의 지도를 총괄하는 방침으로 가자고 저희는 결론을 내렸는데, 어떻게 생각하세요?”

“……그게 무슨?!”

교관들의 이야기를 듣고 있던 앨빈이 깜짝 놀랐다.

“자, 잠깐만요! 그, 그건―.”

그 승부 규칙에는 치명적인 불공평이 있다는 걸 눈치챘기 때문이다.

“화, 확실히 이 규칙이라면 저희는……!”

“흥, 바보 같아. ……교관, 이런 승부를 받아들일 필요는 없어.”

“마, 맞아요…… 이런 치사한 승부…….”

마찬가지로 일레인, 세오도르, 리네트가 항의하려고 하자.

“재미있는 승부야. 그렇게 하지.”

말릴 새도 없이 시드가 속공으로 수락해 버렸다.

“““아아아아아아아, 진짜아아아아아아아아아아―!”””

앨빈, 일레인, 세오도르, 리네트는 머리를 싸맬 수밖에 없었다.

참고로.

““……???””

텐코와 크리스토퍼는 그런 동료들의 반응에 의아해하며

고개를 갸웃할 뿐이었다.

"아, 일단 그 전에 확인할게. 이 목록에 없는 요마는 잡아도 점수를 못 받나?"

시드가 책자를 팔랑팔랑 흔들었다.

"그걸 굳이 말해 줘야 합니까? 당연하죠."

"즉, 이 목록에 있는 요마를 토벌해서 승부한다는 거지?"

"그러니까, 아까부터 무슨 당연한 소리를 하는 겁니까."

"OK. 승부와 결투는 기사의 꽃이지. 서로 정정당당히 싸우자고."

시드가 즐겁게 웃었다.

"어떻게 돼도 전 몰라요……."

앨빈은 한숨을 쉬었다.

이리하여 합숙 첫날 오후.

4학급의 요마 소탕 경쟁이라는 생각지 못한 승부가 시작되었다.

————.

요마 소탕은 13시부터 18시까지 벌이게 되었다.

그중 15시부터 16시까지는 휴식과 중간 경과보고를 겸하여 모든 학급이 거점에 집합하기로 했다.

전력을 너무 분산시키면 위험하기에 반드시 6인 1조로

행동해야 했다.

그리고 어떤 학급이 어떤 요마를 얼마나 격파했는지 알 수 있도록 전령 요정으로 각 조를 감시했다.

이 전령 요정들은 이번 합숙을 보조하기 위해 따라온《호반의 여인》의 반인반요정이 마법으로 소환한 것이었다.

이 요정은 술자의 명령에 따라 정확한 정보를 전달했고, 절대 거짓말하지 못한다는 성질을 지니고 있었다.

즉, 전령 요정이 감시하는 이상, 어떻게 속여서 성과를 부풀리는 짓은 할 수 없지만…….

"그나저나 곤란하게 됐네……. 이 규칙이면……."

앨빈이 한숨을 쉬며 거점에서 요마 소탕을 준비하고 있으니.

"뭐야? 앨빈. 너 아직도 지령위 요정검이라는 것에 주눅 들어 있는 거야?"

시드가 그런 앨빈의 어깨를 툭 두드렸다.

"맞아요, 앨빈! 이제 저희는 예전의 저희가 아니에요!"

"맞아, 교관님 덕분에 우리는 상당히 강해졌어! 설령 다른 학급 녀석들이 우리보다 높은 검격의 요정검을 가졌어도 그리 간단히 지지 않아!"

텐코와 크리스토퍼도 의욕 넘치는 표정으로 앨빈을 격려했다.

아무래도 두 사람은 여전히 이 승부의 허점을 눈치채지

못한 것 같았다.

"하아…… 여긴 바보 소굴인가."

"너무 그러지 말아요."

세오도르와 일레인이 깊은 한숨을 쉬었다.

그렇게 블리체 학급 학생들이 저마다 출격 준비를 하고 있으니.

"……앨빈."

그런 일동에게 두 학생이 다가왔다.

"너희는…… 올리비아와 요한?"

갑작스러운 방문에 앨빈이 눈을 깜빡였다.

뒤란데 학급의 1학년 학급장 올리비아.

앤서로 학급의 1학년 학급장 요한.

지난번 4학급 합동 교류 시합 때 블리체 학급 학생들과 직접 대결하진 않았지만, 두 사람 다 정령위라는 높은 검격의 정령검에게 선택받은 엘리트였다.

실제로 교류 시합에서 두 사람은 뛰어난 실력을 다른 사람들에게 보여 줬고, 특히 요한은 그해 최우수 신인상을 받은 학생이었다.

"……여긴 왜? 나한테 무슨 볼일 있어?"

그러자 요한이 물어뜯을 것처럼 앨빈에게 말했다.

"선전 포고야. 나는 절대로…… 너희한테 안 질 거야."

"……!"

"너희는 최근 나는 새도 떨어뜨릴 기세지만, 우리도 정령위로서의 긍지가 있어. 너희 같은 지령위들에게 뒤처질 수는 없다고……!"

"맞아! 너희가 지금까지 활약한 건 우연이겠지! 이 요마 소탕으로 반드시 그걸 증명해 내겠어……!"

그렇게 일방적으로 하고 싶은 말을 쏟아 내고서.

앨빈의 대답을 듣지도 않고 두 사람은 빠르게 떠났다.

"기, 기분 나쁘네요……."

"뭐, 뭔가…… 귀기가 감도는 느낌이라 무서워요……."

텐코가 불퉁한 표정을 지었고 리네트가 부르르 몸서리쳤다.

옆에서 보던 크리스토퍼와 세오도르, 일레인도 이 요마 소탕에 감도는 불온한 분위기를 느끼고 씁쓸하게 침묵했다.

"이야~ 그야말로 청춘, 청춘이란 느낌이라서 좋은데. 좋아, 더 해."

다만 시드만큼은 평소와 똑같았다.

"생각해 보면 예전에 우리한테도 저렇게 혈기 넘치던 때가 있었어……. 뭐, 너무 혈기가 넘쳐서 저렇게 선전 포고를 한 김에 겸사겸사 푹 찌르기도 했지만."

"겸사겸사 할 일인가요?! 그거!"

"싸우기 전에 이기면 승리니까."

"변함없이 아수라장이네요! 전설 시대!"

"뭐, 나는 안 그랬어. 하지만 그런 혈기 왕성한 기사가 많았어."

"혈기로 넘길 수준이 아니야! 살의가 줄줄 새고 있잖아!"

"전설 시대는 이래서 안 된다니까……!"

일동은 어이없어했다.

그렇게 분위기가 느슨하게 이완되어 있을 때.

합숙소 본진에 임시로 설치된 간이 종루의 종이 한 번 크게 울렸다.

오후의 첫 번째 종— 즉 13시.

요마 소탕 경쟁이 시작됐다는 신호였다.

"오, 드디어 시작인가. 그런고로 다들 힘내라."

"……네……."

시드에게 배웅받으며.

앨빈 일행은 숲속으로 달려갔다.

────.

이 요마 소탕 승부의 규칙은 불공평하다.

그런 앨빈의 견해는 금세 현실이 되어 블리체 학급에 적의를 드러냈다.

샤샤샤샤샤샤샥—!

소년 소녀들이 잡초를 밟으며 질주하는 소리가 어두운 숲속에 울려 퍼졌다.

"있다! 식인목이야!"

"토벌 평가점 5점! 받아 가겠어요!"

크리스토퍼와 일레인이 검을 들고 질주하는 곳에 거대한 나무가 있었다.

그 나무는 무수한 가지와 뿌리를 손발로 가졌고, 두꺼운 줄기에는 이빨이 빼곡히 난 커다란 입이 있었다.

식인목.

식물 요정이 요마화한 존재로, 접근하는 인간을 나뭇가지로 잡아서 먹어 치우는 대단히 위험한 요마였다.

"헤헤! 벌목해서 장작으로 만들어 주마!"

하지만 앞서 달려간 크리스토퍼는 겁내지 않았다.

월을 태워서 마나를 다리에 보내 가속— 식인목에게 맹렬히 돌진했다.

하지만—.

"후후, 먼저 갈게요. 실례합니다."

"아니—?!"

일레인이 다리에 월을 담아 크리스토퍼를 단숨에 추월하고 따돌렸다.

순식간에 뒤처진 크리스토퍼가 비통하게 외쳤다.

"젠장—! 파워는 몰라도 스피드로는 못 이겨어어어어!"

"오~호호호! 그럼 제가 화려하게 끝장을—."

그렇게 일레인이 의기양양하게 말한 순간.

휘오오!

그런 일레인 옆을 누군가가 질풍처럼 지나쳐 추월했다.

"순풍을 일으켜라!"

초록 요정마법 【질풍】으로 거센 바람을 휘감아 가속한 앨빈이었다.

숲의 나무들 사이를 화려하게 누비며 그야말로 질풍처럼 달려갔다.

게다가—.

"터져서 함께 춤춰라!"

펑!

폭발적인 불꽃과 함께 텐코가 땅을 기는 듯한 고속 비행으로 앨빈을 뒤따랐다.

빨강 요정마법 【염무긱(炎舞脚)】.

땅을 박차는 발바닥에서 지향성 폭발을 일으키고 그걸 추진력 삼아 이동 속도를 높이는 마법— 최근 텐코가 잘 쓰는 마법이었다.

세세한 조작이 가능한 민첩함이 특기인 앨빈과 달리, 텐코는 순간 속도와 최고 속도가 뛰어난 느낌이었다.

　"잠깐만요! 둘 다 그건 치사하잖아요오오오오오!"

　그런 일레인을 아득한 후방에 두고서.

　식인목 사냥 경쟁은 앨빈과 텐코의 일대일 대결이 되었다.

　"하앗—!"

　"이이이이야아아아아아아—!"

　—하지만.

　두 사람의 칼날이 곧 있으면 식인목에 도달하려던 바로 그 순간.

　서걱!

　두 사람의 눈앞에서 누군가의 도끼가 식인목의 밑동을 베어 버렸다.

　"무슨—."

　"다, 당신은—!"

　쓰러진 식인목 너머에서 나타난 것은—.

　"헤헤…… 이걸로 5점 얻었네……?"

　도끼형 요정검을 횡으로 휘두른 모습인, 불량하게 생긴 금발 소년— 뒤란데 학급의 1학년 종기사 가트였다.

　가트는 지난번 4학급 합동 교류 시합 때 아직 월을 깨치지 못했던 텐코를 불필요하게 괴롭힌 악랄한 소년이었다.

그때 일을 떠올린 텐코가 노골적으로 불쾌해하며 얼굴을 찌푸렸다.

"큭…… 뭐 하러 온 거죠……?!"

"그야 요마를 사냥하러 왔지. 요마를…… 헤헤헤."

가트가 아니꼽게 웃자 가트와 같은 조인 것 같은 학생들이 숲속에서 줄줄이 모습을 드러냈다.

"제법이잖아."

"히히히, 역시 가트 씨예요."

"오오, 웨인, 래드. 너희 느려. 벌써 내가 끝장내 버렸다고."

가트 일행은 보란 듯이 그런 대화를 나누기 시작했다.

그러는 동안 일레인과 크리스토퍼, 그리고 조금 뒤늦게 세오도르와 리네트도 달려왔다.

다들 어떤 상황인지는 파악했는지 곧장 서로를 노려보며 일촉즉발 상태가 되었다.

텐코가 귀를 빳빳하게 세우고서 날카로운 송곳니를 드러내며 외쳤다.

"바, 방금 그 식인목은 어떻게 봐도 저희의 사냥감이었잖아요!"

"뭐? 규칙 못 들었어? 바보 여우. 먼저 잡은 사람이 임자야."

"뭐, 뭐라고요?! 보자 보자 하니까—."

피가 거꾸로 솟은 텐코가 반사적으로 칼을 잡으려고 했다.

"……하지 마, 텐코."

하지만 그런 텐코의 팔을 앨빈이 잡았다.

"방금 그건 너희의 득점이야. 우리는 싸울 마음 없어."

"그래, 우리도 마찬가지야. 어쨌든 학생 간의 싸움은 규칙 위반이니까. 규칙은 지켜야지, 규칙은……."

도발적인 가트의 말투에 블리체 학급 일동은 분한 듯 입을 다물었다.

"그럼 앞으로도 정정당당히 경쟁하자고. 응? 으하하하하하하—!"

그런 말을 내뱉고서.

가트 일행은 자리를 떴다.

"……제장! 또 당했어!"

가트 일행이 사라진 후, 크리스토퍼가 대검으로 땅을 쿵! 때렸다.

"저 녀석들뿐만이 아니야! 대체 몇 번을 뺏긴 거냐고!"

"……역시나 우리를 완전히 마크하고 있네."

세오도르가 한숨을 쉬며 안경을 올렸다.

뒤란데 학급도, 오르토르 학급도, 앤서로 학급도, 명백히 블리체 학급보다 먼저 가서 기다리고 있었다.

그리고 블리체 학급이 발견한 사냥감을 직전에 가로챘다.

"그래. 이 승부가 불공평한 건…… **단순히 머릿수가 차**

이 나기 때문이야."

세오도르가 담담히 일동을 둘러보았다.

블리체 학급은 이번 학기에 발족한 새로운 학급이다.

그렇기에 학생 수는 이제 겨우 여섯 명뿐이었다.

하지만 다른 전통 3학급은 달랐다.

어느 학급이나 마흔 명 가까운 학생이 재적해 있었다.

즉, 6인 1조로 행동하면 그 수는 대략 여섯 배였다.

단순히 요마와 만날 확률만 따져도 여섯 배. 여섯 배에 가까운 득점 기회가 있었다.

게다가 그중 일부가 블리체 학급을 마크하면 승부가 되지 않았다.

"확실히 지금 우리 개개인의 전력은 다른 학생들보다 뛰어날 거야. 하지만 이 승부는 요마 소탕…… 개개인의 전력보다도 머릿수의 영향이 커……."

그렇게 세오도르가 설명하자.

"큭……! 이 승부에 그런 함정이 있었다니……?!"

"전혀 눈치 못 챘어……!"

"이 정도는 눈치 좀 채라! 처음부터 불 보듯 뻔한 일이었잖아, 바보들아!"

분한 얼굴로 부들거리는 텐코와 크리스토퍼에게 세오도르가 의무처럼 태클을 걸었다.

"그나저나 곤란하게 됐네……."

"그래. 이대로 가면 우리의 합숙은 엉망이 될 거야."

앨빈과 세오도르가 함께 한숨을 쉬었다.

"네? 그게 무슨 말이에요?"

"텐코. 이 요마 소탕 경쟁에서 이긴 학급의 교관은 이번 합숙에 참가하는 모든 학생의 총감독을 맡게 돼."

"전체의 지휘 방침과 훈련 내용을 그 총감독이 좌우하게 되는 거야. 즉, 최악에는 우리한테 아무런 훈련도 시키지 않고, 식량 조달이나 빨래 같은 잡일만 시킬 수도 있어."

"뭐, 어떻게 생각해도 교관들의 목적은 그거죠."

앨빈, 세오도르, 일레인의 그 말을 듣고.

"뭐라고요……?! 그런 목적이 있었다니 비겁해요……!"

"전혀 눈치 못 챘어……!"

"이 정도는 눈치 좀 채라! 처음부터 불 보듯 뻔한 일이었잖아, 바보들아!"

분한 얼굴로 부들거리는 텐코와 크리스토퍼에게 세오도르가 의무처럼 태클을 걸었다.

"그, 그럼, 왜 교관님은 이런 승부를 받아들인 거야?!"

"서, 설마…… 스승님도 저처럼 눈치채지 못해서……?!"

텐코가 떨고 있으니.

"아니. 역시 네 머리랑 똑같이 취급하진 말아 줘. 후세까지 창피하니까."

위쪽에서 그런 쓴웃음 섞인 목소리가 들려왔다.

올려다보니 위쪽 나뭇가지에 드러누운 시드가 학생들을 내려다보고 있었다.

"시드 경?!"

"정말이지…… 언제 움직이려나 보려고 했더니, 너희는 이런 데서 뭐 하고 있는 거야?"

시드가 어이없어하며 말했다.

"그, 그야…… 요마 소탕을……."

"하지만, 하지만! 다른 학급이 방해해서 제대로 소탕할 수 없어요~!"

리네트가 울상이 되어 우는소리를 하니 다른 학생들도 입을 다물 수밖에 없었다. 참고로 텐코는 「후세까지 창피한 수준이구나……」 하고 무릎을 끌어안고서 웅크리고 있었다.

그러자.

"그야 이런 데서 사냥하니까 그렇지."

시드가 토벌 평가점 책자를 꺼내 팔락팔락 넘겼다.

그리고 어떤 페이지를 북! 찢어서 학생들에게 떨어뜨렸다.

"너희의 사냥감은 당연히 이 녀석 아니야?"

앨빈이 팔랑팔랑 떨어진 페이지를 잡아 내용을 보았다.

다른 학생들도 앨빈 주위에 모여 내용을 살폈다.

그리고— 거기 적혀 있는 요마의 정보를 본 순간.

""""""""뭐어어어어어어어어어어어어어어어―?!""""""""

얼빠진 목소리 여섯 개가 숲속에 울려 퍼졌다.

―――――――.

오후의 세 번째 종― 15시를 알리는 종소리가 숲속에 울려 퍼졌다.

요마 사냥 전반전이 끝나고, 각 학급의 모든 학생이 중간 경과 발표를 위해 거점의 광장에 집합했다.

요마 사냥의 본진에서 대기하던 크라이스가 흡족하게 웃었다.

"최근 블리체 학급이 아니꼽게도 힘을 길렀지만…… 머릿수가 필요한 이런 사냥은 개개인의 무용이 아무리 뛰어나도 별수 없으니 말이죠……."

그리고 크라이스가 이끄는 오르토르 학급에는 신령위 요정검을 가진 루이제가 있다. 냉기를 조종해 넓은 영역을 공격할 수 있는 루이제의 요정검은 격파 수를 경쟁하는 이런 싸움에 유리했다.

즉, 이건 처음부터 승패가 정해져 있는 승부였다. 중간 보고가 참으로 기대되었다.

"이거면 됐겠죠. 블리체 학급 놈들……! 저번 교류 시합 때 맛본 그 굴욕을…… 오늘 여기서 풀어 주겠습니다……!"

일단 다른 학급의 교관 기사들과 몰래 협정을 맺어서, 어떤 학급이 승리해도 블리체 학급에게는 굴욕의 한 달을 선사해 주기로 했다.

한 달이라는 긴 시간 동안 블리체 학급을 노예처럼 혹사하며 기사로서 무의미한 시간을 보내게 하는 것이야말로 시드에 대한 최대의 복수였다.

"크크크…… 아하하하하……! 나를 무시하니까 이렇게 되는 겁니다……!"

그렇게 속으로 웃는 크라이스 앞으로 각 학급의 팀이 속속 귀환했다.

그리고―.

제일 마지막에 블리체 학급의 학생들도 귀환했다.

그때, 크라이스는 알아차렸다.

'저 녀석들, 꼬락서니가 왜 저 모양이죠……? 왜 저렇게 엉망으로 녹초가 되어 있는 거죠……?'

특별히 크게 다치지는 않았지만, 온몸이 진흙투성이였고 종기사 복장도 엉망으로 흐트러져 있었다.

그 꼴사나운 모습을 보고 다른 학급 학생들이 키득키득 웃었다.

"이 일대에 저렇게 고전할 만한 요마는 없을 텐데……."

"아무래도 지금까지 보인 활약은 우연이었나 보네……."

"결국 쓰레기통 학급인가……."

크라이스의 속마음도 비슷해서 남몰래 웃을 수밖에 없었다.

절대적 승리를 확신하고 크라이스는 중간 발표를 재촉했다.

"그럼 각 학급을 감시한 전령 요정이여! 각 학급이 쓰러 뜨린 요마의 수와 총득점을 집계하여 보고하십시오!"

먼저 대답한 것은 앤서로 학급을 감시한 전령 요정이었다.

『앤서로 학급, 토벌 수 24. 총득점 72점.』

오오오, 하고 다른 학급 학생들이 감탄했다.

예년과 비교하면 중간보고 시점에 이 득점은 상당히 좋은 성적이었다.

"큰놈과 작은놈을 균형 있게 잡은 모양이군요. 잘 싸웠습니다. 그럼 다음."

다음은 뒤란데 학급이었다.

『뒤란데 학급, 토벌 수 19. 총득점 74점.』

뒤란데 학급의 성적도 꽤 좋았다.

"토벌 수에 비해 득점이 높은 걸 보니 큰놈을 적극적으로 노린 것 같군요. 좋습니다. 다음."

그러자 오르토르 학급의 전령 요정이 대답했다.

『오르토르 학급, 토벌 수 42. 총득점 98점.』

그 보고에 좌중이 술렁였다.

"98점……? 진짜……?"

"괴, 굉장하다…… 오르토르 학급 굉장해……."

"듣자 하니 루이제가 혼자 스무 마리 정도 잡았대……."

"여, 역시 신령위야……. 이거 올해 승부는 결정 났나……?"

당당히 선 루이제에게 다들 존경과 선망의 시선을 보냈다.

"……흥."

당사자인 루이제는 당연하다는 듯 팔짱을 끼고서 콧방귀를 뀌었다.

그런 루이제를 오르토르 학급의 교관인 크라이스도 칭찬했다.

"역시 루이제! 신령위의 이름에 걸맞은 무용입니다! 아주 좋습니다!"

역시 신령위 요정검의 힘은 타인의 추종을 불허했다.

지난번 교류 시합에서 앨빈에게 밀렸던 것은 역시 뭔가 착오가 있었거나 우연이었을 거라는 분위기가 주위에 만연해졌다.

어쨌든 현재 오르토르 학급이 압도적으로 1등이었다.

그 결과에 크게 만족한 크라이스가 흡족하게 웃었다.

그리고 의기양양한 얼굴로 마지막 보고를 재촉했다.

"그럼 마지막으로. 블리체 학급, 보고하십시오."

그러자.

블리체 학급의 머리 위에 있던 전령 요정이 날아올라 소리 높여 보고했다.

『블리체 학급, 토벌 수 1…….』

토벌 수 1.

그 숫자에 다른 학급 학생들이 깔보듯 키득키득 웃었고.

크라이스도 더는 웃음을 감추지 못했다.

하지만— 다음 순간.

『……총득점 200점.』

전령 요정의 그 보고에.

좌중이 쥐 죽은 듯 고요해졌다.

"……뭐? 이, 200……?"

크라이스가 입을 쩍 벌렸다.

"……그게 무슨……."

자신이 가장 성과를 올렸을 거라고 예상했던 루이제도 말을 잇지 못했다.

다른 학급의 교관 기사…… 마리에와 자크도 같은 심정인지 비슷한 표정으로 굳어 있었다.

"아, 아니…… 그건 역시 뭔가 잘못된 거겠죠."

『블리체 학급의 득점은 200점입니다. 보고를 끝냅니다.』

그렇게 말하고서 전령 요정은 꾸벅 인사하고 사라졌다.

웅성, 웅성, 웅성…….

맙소사. 믿을 수가 없어……. 대체 어떻게……?

그런 감정이 폭풍처럼 휘몰아치는 가운데.

"시, 시, 시드 겨어어어어어엉—!"

크라이스가 시드에게 따져 들었다.

"다, 다다다, 당신, 대체 무슨 짓을 한 겁니까?! 무슨 속임수를 쓴 겁니까?!"

"아니, 속임수 같은 건 안 썼어."

시드가 손을 내저었다.

"하, 하지만! 이건 말도 안 됩니다! 말도 안 된다고요!"

"여기에 확실하게 적혀 있잖아."

척! 하고. 시드는 토벌 평가점 책자에서 찢은 어떤 페이지를 크라이스에게 내밀었다.

크라이스가 그걸 낚아채 확인하니.

거기 기재되어 있던 요마의 그림과 이름은—.

「키리무」 토벌 평가점: 200점

"키, 키, 키리무우우우우우우우우우우우우우우—?!"

""""뭐어어어어어어어어어어어어어어어어—?!""""

크라이스의 경악과 학생들의 외침이 앙상블을 이루었다.

"서, 설마…… 블리체 학급은 키리무를 잡은 겁니까?!"

"그래. 한 마리에 딱 200점은 키리무밖에 없어."

키리무.

용과 비슷하게 생긴 거대한 체구, 머리 일곱 개와 뿔 일곱 개, 눈 일곱 개.

그 거구만 봐서는 상상하기 어려운 날렵한 속도와 은밀성으로 먹이를 사냥하는 잔인무도한 폭력이자 밀림의 암살자. 요정계 심층에 서식하는 킬러다.

원래는 숙련된 요정기사가 부대를 이루어 토벌하는 강력한 요마지만······.

"마, 말도 안 돼······. 결계 내에 키리무 같은 위험한 요마가 있을 리가······."

"결계 **안**에 없다면 결계 **밖**으로 나가면 그만이지. 딱히 그걸 금지하진 않았잖아?"

"결계 밖에 나갔다고요?! 세상에! 결계 밖은 너무 위험합니다!"

믿을 수 없다는 듯 크라이스가 눈을 부릅떴다.

두 사람이 그런 대화를 나누는 동안.

"하여간······ 우리 교관은 터무니없는 요구를 한다니까······."

블리체 학급의 학생들은 기진맥진한 모습으로 저마다 푸념했다.

"서, 설마······ 예전에 저희를 몰살하려고 했던 ㄱ 요마와 또 싸우게 될 줄은 몰랐어요······."

"그러니까 말이에요······."

"으, 으으······ 무, 무서웠어요······ 무서웠어······."

"하지만 시드 경이 말한 대로 힘을 합치니까 어떻게든 되네."

"……우리도 성장한 건가."

"엄청나게 고전하긴 했지만……."

블리체 학급의 학생들이 그러든 말든.

크라이스는 시드에게 맹렬히 항의하기 시작했다.

"거, 거짓말! 그런 건 거짓말이야! 고작 학생들이 키리무를 해치울 수 있을 리가 없어!"

"전령 요정은 허위 보고를 못 하잖아. 슬슬 인정해 줘."

"그, 그런 건 거짓말이야……! 거짓말이라고……!"

입을 뻐끔거리기만 하는 크라이스를 제치고 이번에는 마리에와 자크가 시드에게 따져 들었다.

"……결계 밖으로 나가서 키리무를 사냥하라는 건…… 당신이 지시한 건가요? 시드 경."

"그래, 그게 왜?"

"다, 당신은……! 교관 실격이에요!"

마리에가 분노에 떨며 말했고 자크도 그 말에 동의했다.

"그래, 맞아! 네놈에게는 교관 자격이 없어!"

"학생들을 그런 위험에 빠뜨리다니……!"

"이 심층에서 학생들을 결계 밖으로 내보내다니 무슨 생각을 하는 거야?!"

"부끄러운 줄 아세요! 이《야만인》—!"

그러자 시드가 구김 없이 웃었다.

"뭐야, 너희도 비교적 성실하게 학생들을 생각하고 있구나? 마음에 들었어."

"그게 무슨─?!"

"하지만 그래도 말해야겠어. ……**문제없어**."

자신만만하게 가슴을 편 시드는 자기 학급 학생들의 얼굴을 한 명씩 둘러보고 선언했다.

"내가 자랑하는 학생들이야. 이제 와서 키리무 **따위**에게 질 리가 없어."

너무나도 시원스럽고 당당한 시드의 말에.

"""~~~?!"""

크라이스도, 마리에도, 자크도.

더는 한마디도 할 수 없었다.

────.

─이리하여.

전체적으로 울적한 분위기로 후반전이 시작되었다.

이미 학생 대부분이 전의를 상실한 상태였다.

전반전만 따져도 블리체 학급과 점수가 두 배 넘게 차이났다.

머릿수는 여섯 배 이상인데도 말이다.

애초에 결계 내의 약한 요마는 전반전에 상당수 소탕했기에 후반에는 아무래도 점수가 잘 늘지 않았다.

블리체 학급을 이길 수 있을 리가 없었다.

자신들은 높은 검격을 가진 엘리트고.

블리체 학급은 검격이 낮은 낙오자였다.

그럴 텐데 대체 어느새 차이가 이만큼이나 벌어진 걸까?

학생 대부분은 절대적인 격차를 인식하고 좌절해 버렸다.

하지만― 그 잔혹한 현실에 여전히 저항하는 학생도 있었다.

서걱!

"젠장…… 젠장…… 젠장……!"

루이제였다.

자신 앞에 나타난 흑요견을 순식간에 베어 버린 루이제가 외쳤다.

"나는, 또 지는 건가……?! 그 녀석들한테…… 앨빈한테, 나는 또 지는 건가……! 인정 못 해……. 그런 건 인정 못 해……!"

그랬다. 루이제는 두 번 다시 질 수 없었다.

루이제는 되찾아야만 했다. ……기사의 긍지를.

"나는……! 나는……!"

격정이 이끄는 대로 숲을 달리고 요마를 사냥하며 루이제는 생각했다.

자신이 기사가 되고자 한 시초를—.

루이제의 친부, 로드리그 파레는 훌륭한 기사였다.

품행 방정하며 공명정대. 왕가에 대한 충성심이 강했고, 영민에게도 흠모받는 쾌남이었다.

그리고 무엇보다 로드리그는 신령위 요정검에게 선택받은 기사였고, 당시 이 나라에서 가장 뛰어난 기사이자 왕국 최강의 기사로 유명한 영걸이었다.

당연히 루이제는 어린 마음에도 아버지를 기사 중의 기사라고 여겼다.

언젠가 자신도 아버지처럼 긍지 높고 강한 기사가 될 거라고 꿈꿨다.

하지만— 그 꿈은 어느 날 갑자기 유리처럼 쉽사리 깨져 버렸다.

아버지가 돌연 기사 칭호를 박탈당하고 영지를 몰수당하면서 집안이 풍비박산 난 것이다.

어떤 전투에서 아버지는 왕을 지키지 않고, 적의 공격에 노출된 마을을 구하기 위해 독단으로 움직여 버렸다.

그 결과, 많은 백성이 목숨을 건졌지만─ 전후에 아버지는 규탄당했다.

기사단법에 의하면 아버지가 저지른 짓은 왕을 배신하는 대죄였기 때문이다.

물론 왕은 아버지의 잘못을 불문에 부치겠다고 선언했고, 분별 있는 많은 기사가 아버지의 행동에 찬동하며 아버지를 감쌌다.

그러나─ 아버지를 특히나 싫어했던 일부 기사와 귀족들의 규탄은 멈추지 않았다.

아버지를 밀어내려고, 실각시키려고, 때는 이때라는 것처럼 아버지를 공격해 댔다.

이대로 가면 나라가 쪼개지고 왕가의 통치가 전복될 수도 있다.

그렇게 판단한 아버지는─ 기사 신분과 영지 반환을 묵묵히 받아들였다.

이윽고…… 아버지는 그 전투에서 입은 상처 때문에 허무하게 죽었다.

『후회는 없다…….』

『그때, 무참히 학살당할 뻔했던 백성을 지켜 낸 것…… 그리고 그런 나를 옳다고 해 주신 아르드 왕을 섬길 수 있었던 것은…… 내 기사로서의 긍지다.』

『다만…… 너희에게는 정말로 미안한 짓을 했어……. 부디…… 강하게 살아 다오…….』

죽기 직전에 아버지는 그런 말을 남겼다.

루이제는 전혀 이해할 수 없었다.

자신의 신세를 망치면서까지 백성을 구한 게 긍지라고?

결국 아버지를 끝까지 감싸지 못한 나약한 왕을 섬긴 게 긍지라고?

자기가 한 짓을 죽기 직전에 우리에게 사과할 거였으면 아예 하질 말았어야지.

아버지를 존경했지만…… 임종 때 남긴 말만큼은 전혀 이해할 수 없었다.

그래도 한 가지는 알 수 있었다.

그건 바로―.

『대대로 물려받은 집안과 영지를 잃다니, 선조님께 뭐라 말씀드려야 할지……. 아아…… 파레는 이제 끝이구나…….』

실의와 절망 속에서 아버지를 뒤따르듯 병으로 죽은 조부의 한탄.

『콜록…… 콜록……! 괜찮아…… 괜찮아, 얘들아…… 내 한 몸 바쳐서라도 너희는 훌륭하게 키워 낼 테니까…… 로

드리그와 약속했으니까⋯⋯.』

　손에 물 한 방울 묻히지 않고 살던 귀족에서 일개 평민으로 전락하고서도 익숙하지 않은 바느질 일로 필사적으로 돈을 벌어 루이제를 키워 준 병약한 어머니의 고생과 인자함.

『누나⋯⋯ 배고파⋯⋯.』

『⋯⋯언니⋯⋯ 추워⋯⋯ 추워⋯⋯.』

　그래도 하루하루의 가난과 고생을 견디지 못하고 떨던 동생들의 탄식.

『죄송합니다⋯⋯! 죄송합니다, 아가씨⋯⋯!』

『저희에게도 가족이⋯⋯ 생활이⋯⋯!』

『대대로 파레 가문에 신세를 졌는데도⋯⋯. 용서해 주십시오, 아가씨⋯⋯!』

　최대한 섬겨 줬지만 결국은 루이제 곁을 떠나간⋯⋯ 아니, 떠날 수밖에 없었던, 가족이나 마찬가지였던 가신들.

『으하하하하하─! 그 대단하던 파레가 쫄딱 망했군!』

『최강의 기사라며 거만하게 구니 이렇게 된 거죠!』

『꼴 좋다, 바보!』

『훗⋯⋯ 가까이 오지 말아 줄래? 서민이 옮아.』

몰락한 루이제와 가족들을 매정하게 매도하고 모욕하던 귀족과 기사들…….

"나는…… 되찾아야만 해……! 잃어버린 긍지를……!"
잃어버린 기사 신분, 작위, 그리고 집과 영지.
존경하는 아버지를 위해서도 그것들을 되찾아 파레의 긍지를 부활시켜야 했다.
그렇기에 루이제는 오르토르 공에게 빌붙어서 장래 누구나 인정하는 기사가 되기로 했다. 최강의 기사가 되어야만 했다.
다행히 루이제는 아버지처럼 신령위 요정검에게 선택받았다.
아버지처럼 최강의 기사가 될 그릇은 충분히 갖추고 있을 터다.
그렇기에 외가의 성을 써서 루이제 세디아스라는 한 명의 소녀로서 처음부터 다시 기사가 되고자 했다.
언젠가 훌륭한 기사가 되어 파레 가문을 재건하기 위해—.

"맞아…… 나는…… 긍지를 되찾아야만 해……!"
그러기 위해서는 누구나 인정하는 강한 기사가 되어야 했다.
이 나라에서 가장 뛰어난 기사— 최강의 기사가 되어야

했다.

그런데.

전설 시대 최강의 기사 시드 블리체가 나타났다.

심지어 블리체 학급 학생들까지 두각을 드러내기 시작했다.

루이제 앞을 가로막는 벽은— 너무 높았다.

신령위라서 챙겨 주던 오르토르 공도…… 최근에는 루이제에게 쌀쌀맞았다. 저번에 앨빈에게 패배한 탓에 몹시 실망한 것 같았다.

"왜…… 왜 이렇게 되는 거야?! 왜 잘 풀리지 않는 거야?! 이렇게나 노력하고 있는데……. 나는 선택받은 신령위가 아닌 거야?! 그릇이 아닌 거야?!"

그렇게 루이제가 자문하고 있으니.

어느새 루이제 앞에 학생 몇 명이 모여 있었다.

"너희는……?"

학생들의 학급은 제각각이었다.

하지만 각 학급의 에이스로 이름난 자들이었다.

그렇게 모인 학생들 중 한 명— 앤서로 학급의 학급장 요한이 루이제에게 다가와 말했다.

"힘을 합치자, 루이제."

요한의 제안에 루이제가 눈썹을 찌푸렸다.

"힘을 합치자니…… 무슨 뜻이지?"

"말 그대로야."

이번에는 뒤란데 학급의 학급장 올리비아가 분개하며 대답했다.

"보면 알잖아?! 지금 각 학급의 에이스를 모으고 있어!"

"그래! 우리도 결계 밖으로 나가는 거야!"

요한은 귀기가 감도는 표정으로 말했다.

"그 녀석들도 키리무를 사냥했어……! 선택받은 엘리트인 우리가 못 할 리 없어……!"

"그렇군. 하고 싶은 말이 뭔지는 알았어."

루이제가 한숨을 쉬며 대답했다.

"하지만 3학급이 힘을 합쳐서 그런 일을 해도 득점이 되지는……."

"이제 득점 같은 건 관계없잖아!!!"

그러자 요한이 하늘을 향해 울부짖듯 외쳤다.

"너도 알 거 아니야! 이건 이제 우리의 기사로서의 긍지가 걸린 문제야!"

"……!"

루이제가 눈을 크게 떴다.

이 자리에 있는 모두가 요한의 말에 묵묵히 고개를 끄덕이고 있었다.

요한의 말은 엘리트라고 자부하는 학생 모두의 공통된 뜻인 것 같았다.

루이제는 한동안 말없이 생각을 정리했고…….

"……알았어, 하자."

그렇게 고개를 끄덕였다.

"그래…… 나도 이대로 순순히 물러날 순 없어……. 인정할 수 없어! 해치워 주겠어! 우리도 할 수 있어! 당연히 할 수 있어!"

"그래, 맞아! 맞아!"

다른 학생들도 저마다 루이제에게 동의했다.

"그럼 교관들한테 들키기 전에 해치우자."

"그래, 서두르는 편이 좋겠어."

이리하여 그들은 움직이기 시작했다.

궁지에 몰린 그들의 긍지는 이제 젊은 혈기의 폭주를 지원하는 연료일 뿐이었다.

이윽고 루이제, 요한, 올리비아를 중심으로, 뒤란데 학급, 오르토르 학급, 앤서로 학급의 에이스로 편성된 정예 팀이 남몰래 결성되었다.

그들은 블리체 학급에게 품은 우울함과 열등감을 당장에라도 폭발시킬 듯 의기양양했다.

그렇게 결계 밖으로 걸음을 서둘렀다.

"자, 가자! 우리도 할 수 있어……!"

"질 수 없어……. 질 수 없다고……!"

다감한 사춘기 특유의 전능감이 그들의 마음을 지배하고 있었다.

엘리트인 자신들이, 각 학급의 에이스가 이렇게나 집결했다.

우리도 할 수 있다.

해치울 수 있다. 키리무 따위— 여유롭게 쓰러뜨릴 수 있다.

우리도 처음 입학했을 때와는 비교가 안 될 만큼 강해졌다.

당초와는 비교가 안 되는 힘을 요정검에서 끌어내게 되었다.

열등한 블리체 학급이 해낸 일을 우리가 못 할 리 없다.

우리는 평범한 요정기사와는 다르다.

선택받은 엘리트니까. —그런 긍지를 가슴에 품고서 그들은 나아갔다.

————.

각 학급의 에이스 십여 명이 결계 밖으로 나갔다.

점점 더 깊고 어두워지는 숲속을 당당히 나아갔다.

찾는 것은 키리무와 동등하거나 그 이상의 토벌 평가점을 지닌 요마였다.

따뜻한 생명의 숨결이 흘러넘치는 호숫가와 달리, 결계 밖은 불길할 정도로 고요했다.

새가 지저귀는 소리나 벌레의 울음소리가 전혀 들리지

않는— 그런 심해 같은 숲속을 나아갔다.

하지만 그들은 방심하지 않았다.

요정검의 힘을 해방해 감각 능력을 극한까지 예민하게 가다듬고.

사방에 주의를 기울이며 조금의 빈틈도 없이 나아갔다.

그들은 전혀 방심하지 않았다.

그저— **얕보았을** 뿐이다.

"으아아아아아아악—?!"

"아아아아아아아아아아아—?!"

그건 정말로 아무런 조짐도 없이 갑작스레 벌어진 일이었다.

일행의 제일 뒤쪽에 있던 두 학생이 돌연 비명을 지르며 날아가 근처 거목에 부딪쳤다.

온몸의 뼈가 부러져 그대로 털썩 쓰러져 버렸다.

"뭐야—?!"

그 비명을 듣고 일동이 일제히 돌아보니.

머리가 일곱 개 달린 거대한 요마— 키리무가 그곳에 진좌해 있었다.

그 꺼림칙한 일곱 눈이 대량의 먹이— 학생들을 보고 불온하게 번뜩였다.

"마, 맙소사……?!"

"어, 어느새……?!"

모두가 그렇게나 주위를 경계했는데 키리무의 접근을 누구도 눈치채지 못했다.

그 무시무시한 사실을 깨닫고 많은 학생이 곤혹과 동요를 감추지 못했다.

"나, 나타났어! 포위해! 포위해!"

"맞아. 다 같이 일제히 덤비면 돼……!"

가장 먼저 정신을 차린 요한과 올리비아가 검을 들고 학생들을 질타하며 지시를 내렸지만—.

그 한순간에 키리무의 모습이 시야에서 휙! 사라졌고.

"아아아아아아아아아아아아아아아—?!"

"으아아아아악?!"

이번에는 대열의 우익에 키리무가 나타나 학생 두 명을 물고 머리 위로 들어 올렸다.

"아? ……어? 잠깐…… 너, 너무 빠르지…… 않아?"

"움직임을…… 눈으로…… 전혀 좇을 수…… 없는 것 같은데."

멍해진 학생들 앞에서 키리무는 물어 올린 학생들을 붕붕 휘두르고 땅에 패대기쳤다.

"……컥……."

"……으, 아…… 끄어……."

지면이 사람 모양으로 파이며 두 학생이 거기에 묻혔다.

당연히 온몸의 뼈는 부러졌다. 전투 불능이었다.

그 모습을 루이제는 쌍검을 들고서 멍하니 보고 있었다.

"자, 잠깐만…… 키리무는…… 이, 이렇게나……?"

그리고.

공포에 질려서 뒷걸음질 칠 수밖에 없는 불쌍한 학생들을.

희번덕…….

키리무의 일곱 눈이 남김없이 흘겨보았다.

일방적인 유린이 시작되었다.

"아아아아아아아아아아아아아아아아아—?!"

"으아아아아악—!"

"싫어어어어어어어어어어어어—! 살려 줘! 살려 줘!"

키리무의 순발력과 속도는 학생들의 상상을 뛰어넘었다.

그 거구에서 어떻게 이런 속도가 나오는지 믿을 수 없을 만큼 빠르게 사각지대에서 사각지대로 순간이동했다.

그리고 공격해 오는 이빨이, 앞발이, 꼬리가, 학생들을 한 명씩 가차 없이 해치워 나갔다.

휘몰아치는 폭풍을 사람이 진정시킬 수 있는가? 이건 이미 그런 논리의 이야기였다.

격이 다르고 차원이 다르다는 것을 깨달은 학생들은 허둥지둥 도망치기 시작했다.

하지만 키리무도 당연히 그걸 두고만 보시는 않았다.

순간이동처럼 앞질러서 학생들을 짓밟고, 목을 내밀어 깨물고, 그대로 고개를 흔들어 나무에 던졌다.

도망치는 자와 쫓는 자의 힘이 너무 차이 나서 사냥이라고 할 수도 없었다.

학생들은 순식간에 무너졌다.

하지만 이런 상황에서도 꺾이려는 마음을 분기시켜 과감히 키리무에게 맞서는 자도 있었다.

"으, 으아아아아아아아아아아아아아아아아—!"

루이제였다.

루이제는 자신이 낼 수 있는 혼신의 힘과 마법으로 키리무에게 덤볐다.

키리무가 학생들을 때려잡으면서 생긴 약간의 빈틈을 노리고, 주변 공기를 얼릴 정도의 냉기를 키리무에게 부딪치고서— 단숨에 육박.

양손에 든 요정검을 날카롭게 내리쳤다.

뚝! 쨍그랑!

하지만 루이제가 자랑하는 요정검은— 신령위 쌍검은 간단히 부러졌다.

키리무에게는 손톱만 한 상처도 주지 못했다.

먼저 날린 냉기도 키리무의 비늘에 아주 살짝 성에를 끼게 했을 뿐이었다.

"……아……?"

부러진 검을 멍하니 바라보는 루이제를 키리무가 옆으로 맹렬하게 꼬리를 휘둘러 날려 버렸다.

그 충격으로 루이제의 왼발과 오른팔이 간단히 부러졌다.

……정신 차리고 보니.

이제 두 발로 서 있는 학생은 한 명도 없었다.

다들 꼴사납게 땅에 쓰러져서 몽롱한 상태로 신음하고 있었다.

『키이이이이……!』

낮은 쇳소리 같은 소리를 낸 키리무가 주위를 둘러보았다.

키리무는 「먹이를 산 채로 잡아먹는」 습성이 있었다.

즉, 키리무는 사냥 중에 먹이를 절대 죽이지 않는다.

움직이지 못할 정도로만 만드는 게 키리무의 「사냥」이었다.

그리고 키리무는 주위를 둘러보고 「사냥」이 끝났다고 확신한 것 같았다.

이어서 시작될 것은 당연히 식사 타임이다.

키리무는 가장 먼저 눈에 들어온 루이제에게 유유히 다가왔다.

"어? ……아아……? 으……."

루이제는 그 광경을 믿을 수 없다는 듯 멍하니 바라보았지만.

이윽고 잔혹한 현실을 이해했다.

자신은 이미 「끝났음」을.

아버지의 원통함을 풀지 못하고, 가문의 명예도 되찾지 못하고.

전부 어중간한 상태로 무엇 하나 이루지 못한 채— 무의미한 인생이 끝난다.

그것을 이해한 순간.

"시, 싫어어어어어어어어어어어—!"

센 척하던 가면이 벗겨졌다.

루이제는 그저 공포와 절망에 찬 표정으로 꼴사납게 울부짖으며, 부러진 팔과 다리를 볼품없이 허우적거릴 뿐이었다.

그런 루이제의 눈앞에 우뚝 선 거대한 키리무는 그야말로 악마 같았다.

"요, 용서해 줘……. 제발, 용서해…… 주세요……!"

손을 맞잡고 빌었지만 그런 목숨 구걸이 악마에게 통할 리 없었다.

그리고.

그 악마는 일곱 머리 중 하나의 입을 크게 벌리고서…… 빼곡히 늘어선 이빨을 보이며 루이제에게 다가왔고…….

그건 마치 지옥으로 통하는 문 같았다…….

"사, 살려 줘……. 누가 나 좀 살려 줘……! 아아아아, 싫어, 싫어어어어……! 싫어, 싫어, 싫어! 아, 아빠아아아아아아! 살려 줘어어어어어어ー!"

그 커다란 입이 루이제를 잡아먹으려고 한…….

바로 그때였다.

낙뢰 소리와 함께 무시무시한 섬광이 루이제의 눈앞을 지나갔다.

"……어……?"

어안이 벙벙해진 루이제 앞에서.

『기샤아아아아아아아아아아아아아아아아아아아ー?!』

키리무가 고통스럽게 울부짖으며 몸을 뒤로 젖혔고ー.

쿵! 잘려 나간 키리무의 머리 하나가 근처에 떨어졌다.

어느새.

"뭔가…… 어디서 본 상황이네."

루이제 앞에 어떤 청년이 있었다.

고통에 몸부림치는 키리무 앞에서 고개를 반쯤 돌려 루이제를 내려다보는 그 청년은ー 몸 여기저기에서 번개가 튀는 그 기사의 이름은ー.

"시, 시드 경……?!"

"여, 루이제."

시드가 씩 웃었다.

"왜 너희가 이런 곳에 있는지 어렴풋이 예상은 가. 아주 하찮은 「긍지」에 목숨을 걸었네."

"……크, 윽……!"

루이제는 굴욕으로 얼룩진 표정을 지었다.

루이제의 몸은 만신창이고 얼굴은 눈물범벅이라 어떻게 체면을 세울 수도 없었다.

심지어 공포에 질려서 말도 안 통하는 요마에게 목숨까지 구걸해 버렸다.

굳이 말할 것도 없이 지금 루이제는 너무나도 비참하고, 꼴사납고, 한심했다.

"훌쩍…… 왜…… 왜, 나는, 이런…… 흑…… 으으으으 으…….."

루이제는 그저 울며 고개를 숙일 수밖에 없었다.

하지만 시드는 그런 루이제를 멸시하지 않고 조용히 말했다.

그 등으로 뭔가를 보여 주듯 말했다.

"「기사는 진실만을 말한다」."

"「그 마음에 용기의 불을 밝히어」."

"「그 검은 약자를 지키고」."

「"「그 힘은 선을 지지하며」."

"「그 분노는― 악을 멸한다」."

그런 시드의 뒷모습을 루이제는 눈물에 젖은 눈을 깜빡이고서 올려다보았다.

"그건……?"

"……옛 기사의 원칙이야."

그리고 시드가 다시 루이제에게 물었다.

"루이제. 옛 기사의 원칙에 왜 「긍지」에 관한 항목이 없는지 알아?"

"……어?"

질문의 의도를 알 수 없어서 루이제가 얼빠진 목소리를 낸 순간.

다시 일어선 키리무가 남은 모든 머리를 휘둘러 시드를 깨물려고 했다.

"영차."

하지만 시드는 루이제를 옆구리에 끼고서 여유롭게 그 자리를 이탈했다.

키리무의 턱이 허공을 깨물었다.

"……아?!"

"태평하게 문답할 때가 아닌가."

탁, 안전한 곳으로 루이제를 이동시킨 시드가 선언했다.

"좋아, 다들 해치워! 주위에 굴러다니는 학생들은 내가 챙기겠어!"

그러자.

"네!"

샤샤샥—!

숲 안쪽에서 키리무를 에워싸듯 앨빈, 텐코, 일레인, 크리스토퍼, 리네트, 세오도르가 나타났다.

"얘들아! 전반전에 싸웠을 때랑 같아! 키리무의 비늘에는 텐코, 크리스토퍼, 세오도르의 공격만 통해! 다른 사람들은 이 세 사람을 힘껏 엄호하는 거야!"

"네! 공격의 선봉은 맡겨 주세요!"

"그, 그나저나, 후반전에도 키리무와 싸우게 되다니……!"

"아아아아아아, 진짜! 오냐, 해치워 주마아아아아아아—!"

앨빈의 빠릿빠릿한 지시하에.

블리체 학급 학생들이 일제히 움직이기 시작했다.

"하아아아아아아앗—!"

제일 먼저 공격에 나선 사람은 앨빈이었다.

초록 요정마법【질풍】을 사용해서 돌풍을 휘감아 키리무에게 돌진했다.

"아, 안 돼……! 섣불리 접근하면—!"

루이제가 외쳤다.

앨빈의 검이 닿는 순간, 키리무의 모습이— 안개가 되어 사라졌다.

사람의 동체 실력을 크게 넘어선 움직임으로 순식간에 앨빈의 뒤로 이동한 것이다.

키리무의 이빨과 발톱이 가차 없이 앨빈의 등을 덮쳤지만—.

"홋—!"

놀랍게도 앨빈은 몸을 틀어 그것을 피했다.

다른 학급의 누구도 반응하지 못했던 키리무의 움직임에 대응한 것이다.

『샤아아아아아—?!』

키리무의 이빨과 발톱이 다시 다가오고, 이어서 옆으로 휘두르는 꼬리 일격도 가해졌다.

"큭—!"

그것들을 앨빈은 아슬아슬하게 파악해 세검으로 막고 질풍처럼 후방으로 이탈했다.

그것을 신속한 순간이동으로 따라간 키리무가 또다시 앨빈에게 이빨과 발톱을 박으려고 했다.

대기를 찢는 듯한 위력에 충격파가 퍼졌다.

그 여파로 주위의 거목이 줄줄이 쓰러졌다.

하지만 앨빈은 오른쪽으로, 왼쪽으로, 뒤로, 질풍처럼 자유자재로 움직여 키리무의 추격을 피했다.

그렇게 피하는 중에 반격의 찌르기를 일섬.

앨빈을 향해 목을 내민 키리무의 코끝을 세게 가격했다.

그 공격은 키리무의 단단한 비늘에 막혀 전혀 통하지 않았지만…….

『키샤아아아아아아아아아아아아아—!』

자신보다 약한 먹이라고 본 상대를 잡지도 못하고, 심지어 생각지 못한 반격을 받은 키리무가 격노한 것처럼 더 집요하게 앨빈을 쫓았다.

"……!"

하지만 앨빈은 휘몰아치는 폭풍 같은 키리무의 맹공을 능숙한 몸놀림과 발놀림으로 계속 피했다.

"애, 앨빈 녀석…… 굉장해……."

"하, 하지만…… 저렇게 격렬하게 움직이면 오래 못 버틸 거야……!"

전투 불능 상태이긴 하지만 간신히 의식을 유지하고 있던 학생…… 요한과 올리비아가 그렇게 말했다.

그 예상대로.

"—쿡?!"

뒤로 물러난 앨빈이 그대로 거목에 등을 부딪쳤다.

남은 머리 여섯 개가 궁지에 몰린 앨빈을 찢어발기려고 상하좌우에서 에워싸듯 맹렬히 다가왔고—.

"—그의 현신을 숨겨라!"

휘오오!

갑자기 새하얀 안개가 앨빈과 키리무 사이에 생겨나더니—
앨빈의 모습이 그 안개 속에 녹아들듯 사라져 버렸다.

앨빈을 놓친 키리무의 턱은 허무하게 허공을 깨물었다.

파랑 요정마법【안개 은신】이었다.

"……이쪽이에요."

그 마법의 발동자인 일레인이 대담하게 웃으며 키리무의
후방에 서 있었다. 한손반검을 키리무에게 겨누고서 여유
롭게 서 있었다.

당연히 키리무는 그런 빈틈투성이인 일레인을 놓치지 않
았다.

그리고 키리무의 초감각은 간파하고 있었다. ……이 일
레인이 실체가 아니라 마법으로 만든 환상임을.

『샤아아아아아아아아아—!』

울음소리와 함께 자욱이 낀 안개를 단박에 날려 버렸다.

"—윽?!"

그러자 정반대 편에 새로운 일레인이 나타났다.

이쪽이야말로 진짜— 그렇게 초감각 능력으로 판단한 키
리무가 순간이동처럼 움직여 일레인을 깨물었다.

—하지만.

『—긱?!』

일레인을 깨물었을 터인 이빨은 재차 허공을 갈랐다.

실체일 터인 일레인의 모습이 환상처럼 사라졌다.

"이건 파랑 요정마법【물거울】."

"저는 환술이 특기라서……."

"아무리 당신이 예리해도 그렇게 간단히는—."

"—붙잡하지 않아요."

키리무가 흠칫 놀라며 여러 머리를 각각 사방으로 돌렸다.

여러 일레인이 키리무를 에워싸고 있었다.

키리무는 당황할 수밖에 없었다.

키리무의 초감각이 고하고 있었기 때문이다. —전부 실체가 있는 진짜라고.

어느 것이 가짜고 어느 것이 진짜인지 구별이 되지 않았다.

그렇기에 어느 일레인부터 먼저 공격해야 할지 몰라 키리무가 아주 잠깐 경직된 순간이었다.

"그 발을 멈춰라!"

리네트가 외치자 키리무 밑에서 무수한 덩굴이 순식간에 뻗어 나와 전신을 옭아맸고—.

"—나뭇잎을 흩날려라!"

바스락바스락!

이어서 발생한 나뭇잎 폭풍이 키리무에게 쇄도했다.

무수한 나뭇잎이 키리무의 눈과 몸에 찰싹 붙었다.

시야를 가리고 초감각을 방해했다.

『샤아아아아아아아아아아—!』

하지만 키리무에게 그런 구속과 방해는 1초 만에 뿌리칠 수 있는 것이었다.

　몸을 흔들어 그것들을 뜯어내고 날려 버리려고 했다.

　하지만 고작 1초여도 무시할 수 없는 1초였다.

　그 1초의 빈틈을 노리고서—.

　"이이이이야아아아아아아아아아아아—!"

　"우오오오오오오오오오오오—!"

　텐코와 크리스토퍼가 공격했다.

　빨강 요정마법【불꽃칼】에 의해 붉게 타오르는 칼이.

　초록 요정마법【금강력】에 의해 엄청난 완력으로 휘둘린 대검이.

　키리무의 무적의 비늘을 불태워 자르고— 깨부쉈다.

　그건 결코 치명상이 아니었지만— 다른 학급 학생들이 흠집도 내지 못했던 키리무의 몸에 처음으로 대미지다운 대미지가 들어간 것이었다.

　『기샤아아아아아아아아아아—?!』

　키리무가 격통에 울부짖으며 고개를 흔들었다.

　그리고—.

　"화염으로 장송하라." _{크리메테워프라이}

　새빨갛게 빛나는 불덩이가 키리무를 때렸다.

　거리를 두고 후방에서 대기하던 세오도르의 뻴깅 요정마법【화장구】였다.

　지난번에 산적을 상대로 가감해서 날렸던 일격과는 달

랐다.

동료들이 벌어 준 시간을 이용해 윌로 대량의 마나를 모아서 날린 혼신의 화력마법이었다.

명중. 대폭발. 하늘조차 태워 버릴 기세로 불기둥이 솟구쳤다.

초고열 화염이 키리무의 전신을 가차 없이 불태웠다.

비늘이 새빨갛게 달궈지며 끓어올랐다.

『기샤아아아아아아아아아아아아아아아아아─!』

차원이 다른 화력이 몸을 태워서 고통스레 울부짖으면서도 키리무는 멈추지 않았다.

지금 자신을 에워싼 사냥감들 중에서 제일 먼저 해치워야 할 위험한 상대가 세오도르라고, 밀림의 암살자는 순식간에 판단했다.

큰 기술을 써서 빈틈투성이인 세오도르를 향해 질주하기 시작했고─.

"……그렇게는 못 해!"

앨빈이 재차 바람처럼 키리무 앞에 나타났다.

키리무의 꼬리 공격을 도약으로 피하며 공중에서 회전하고, 텐코가 벤 비늘 틈새에 세검을 박았다. 경쾌한 움직임으로 키리무를 농락했다.

"엄호하겠어요!"

"저, 저도……!"

일레인과 리네트도 키리무의 측면으로 이동하며 마법을 준비하기 시작했고—.

"이이이이이야아아아아아아아아아—!"

텐코가 빨강 요성마법 【염무각】으로 하늘을 박찼다. 키리무의 등을 스치듯 뛰어서— 전신을 회전. 풍차처럼 도는 칼이 키리무의 등을 갈랐다.

"어딜……!"

크리스토퍼가 앨빈을 감싸며 키리무의 꼬리 공격을 대검으로 막았다.

그렇게 앨빈 일행이 연계하며 분투하는 가운데…….

"……."

세오도르는 말없이 숲속을 달렸다.

재차 화력마법을 날리기 위한 절호의 포지션을 향해 이동했다.

『샤아아아아아아아아아아—?! 기샤아아아아아아아!』

자신을 몰아붙이는 앨빈 일행에게 키리무가 사납게 포효했다.

이 지경에 이르러 키리무는 마침내 깨달았다.

앨빈 일행은 사냥감이 아니었다.

이 자리에서 사냥감은 자신이었다.

"앨빈! 방금 제 독장미로 키리무에게 독을 주입했어요!"

"잘했어, 리네트! 곧장 키리무의 움직임이 둔해질 거야!

몰아붙이자, 얘들아!"

"네!", "오우!", "예!", "넵!", "흥."

─그리고.

그런 블리체 학급 학생들의 분투를…….

"……."

루이제는 물론이고, 요한과 올리비아, 그 외 엉망으로 당한 학생들이 멍하니 바라보고 있었다.

"가, 강해……."

누군가가 블리체 학급의 싸움을 보고 그런 말을 흘렸다.

이제 무엇 하나 얼버무릴 수 없었다.

그렇게 평가할 수밖에 없었다.

"제법 잘 싸우지? 우리 학급."

좌절한 표정을 짓는 학생들에게 시드가 말했다.

"……너희에게 기사의 긍지란 건 뭐야?"

"그, 그건……."

루이제는 답하지 못했다.

루이제뿐만이 아니었다. 요한도 올리비아도, 다른 학생들도.

아무도 대답하지 못했다.

기사의 긍지.

예전 같았으면 그런 간단한 물음에 즉각 자신만만하게

대답할 수 있었을 터다.

하지만 지금은 대답이 나오지 않았다. 왜냐하면—.

"너희도 알잖아? 너희가 말하는 긍지는 자신보다 뛰어난 자와 대치하기만 해도 간단히 부서져 버려. 하물며 죽으면 아무것도 안 남아."

"윽!"

아무런 반론도 못 하고 루이제는 고개를 숙였다.

"하지만 저 녀석들은 달라. 설령 된통 당하고 패배하더라도 저 녀석들의 긍지는 절대 부서지지 않아. ……왠지 알아?"

"……?"

"답을 알고 싶으면 나한테 와. 합숙 기간 한정이어도 좋으니까."

그렇게 말하고서.

이야기는 끝이라는 것처럼 시드는 발길을 돌려 떠났다.

앨빈 일행은 현재 진행형으로 키리무와 사투를 벌이고 있지만, 시드는 제자들의 승리를 한 치의 의심도 없이 확신하고 있는 것 같았다.

—결과적으로.

시드가 확신한 대로, 길게 이어지는 싸움 속에서 앨빈 일행은 조금씩, 그러나 확실하게 키리무에게 대미지를 주며 몰아붙였고.

　키리무의 움직임은 점점 약해졌고…….

　일곱 개 있었던 머리도 하나씩 떨어져서…….

　마침내—.

"이이이이이야아아아아아아아아아아아아아아—!"

　텐코의 불꽃칼이 키리무에게 남은 마지막 머리를 베어
버렸다…….

제5장 변혁과 암운

콰직!

—한밤중.

호수에서 멀리 떨어진 어두운 숲속에 뭔가가 부서지는 소리가 울려 퍼졌다.

"……훗, 이거면 됐겠지."

어둠 속에 서 있는 자는 올빼미 경이었다.

올빼미 경 앞에 부서진 비석이 있었다.

그 비석의 표면에는 고대 요정어로 어떤 언령이 새겨져 있었지만, 가루가 된 지금은 판독할 수 없었다.

"이걸로 열다섯 개인가……. 결계의 영점(靈点)은 대강 없앴어. 이 페이스라면 머지않아 녀석을 공격할 수 있겠지."

흡족하게 웃던 올빼미 경이 복잡한 표정을 지었다.

"하지만 마지막 건 만만찮아. 흠…… 어쩐다?"

올빼미 경은 한동안 조용히 생각에 잠겨 있다가……

"어쩔 수 없지. 연극을 벌이기로 할까. 이런 건 내가 잘하는 분야니까……"

풀페이스 투구 속에서 남몰래 웃었다.

어둠 속 모략이 움직이기 시작한다.

지금, 뭔가가 착착 움직이고 있었다.

─────.

합동 요마 소탕 경쟁.

승리한 것은 당연히 블리체 학급이었다. 비교하기도 가소로운 압승이었다.

그렇기에 이번 합숙의 총감독은 시드가 되었고, 모든 학생의 지도 방침과 활동 내용을 전부 시드가 결정하게 되었다.

대체 어떤 잡일과 부조리를 강요할 것인가? 학생들은 전전긍긍했다.

하지만 뜻밖에도 시드는 이렇게 말했다.

"딱히? 지금까지 그랬던 것처럼 각 학급 교관의 방침대로 하면 돼."

그게 다였다.

정말로 시드는 다른 학급에게 아무런 불리한 명령도 하지 않았다.

다만 이런 말을 하나 덧붙였다.

"뭐, 원한다면 다른 학급의 훈련에 자유롭게 참가해도 되는 것으로 하지. 이상."

그리고— 일주일이 지났다.

————.

"콜록…… 콜록……! 쿨럭켈록커헉?!"

"힉—! 힉—! 죽는다…… 죽겠어어어어—!"

햇빛이 쏟아지는 오전.

전신 갑옷을 입은 집단이 흐느적거리며 거의 걷다시피 호숫가를 달리고 있었다.

블리체 학급 학생들은 아니었다.

루이제, 요한, 올리비아를 비롯한 다른 학급 학생들이었다.

블리체 학급 학생들은…….

"하! ……하! ……후!"

"헉…… 헉…… 후우…….."

"어이쿠, 먼저 갈게! 너무 무리하지 마."

탓탓탓탓! 다른 학급 학생들보다 몇 단계 더 무거운 갑옷을 입고서 유유히 경쾌하게 학생들 옆을 지나쳤다.

순식간에 멀어지는 블리체 학급 학생들의 뒷모습을 응시하며 요한과 올리비아가 아연히 중얼거렸다.

"이, 이제…… **두 바퀴**나 차이 나는 거야……? 말도 안 돼…….."

"저 녀석들 뭐야……. 진짜로 요정검 안 쓰는 거 맞아……?!"

그리고 한계를 맞이한 학생들이 털썩털썩 잇따라 쓰러졌다.

루이제도 예외는 아니었다. 땅에 엎어져 거친 숨을 내쉬고 있었다. 전신을 좀먹는 납덩이 같은 피로 때문에 더는 한 발짝도 뗄 수 없을 것 같았다.

"큭…… 저 녀석들…… 항상 이런 일을 하고 있었던 건가……?"

루이제가 흘린 중얼거림은 여기 있는 일동 전원의 속마음을 대변했다.

그날 이후로 시드와 블리체 학급 덕분에 목숨을 건진 학생들이 블리체 학급의 훈련에 참가하기를 조금씩 희망하기 시작했다.

마침내 그들도 현실을 인정한 것이다.

블리체 학급 녀석들은— 지금의 자신들보다 압도적으로 강하다.

낙오자였을 터인 그들이 대체 어떻게 이토록 강해졌는가……. 그 비밀을 알고 싶어 하는 학생들이 조금씩 나타나기 시작했다.

물론 각 학급의 교관과 블리체 학급을 좋게 여기지 않는 학생들은 언짢아했다. 블리체 학급의 훈련에 참가한 학생의 입장이 나빠질 것은 눈에 보였다.

하지만 그래도 블리체 학급이 강해진 비밀을 알고 싶다. 강해지고 싶다.

그런 각오로 찾아온 다른 학급 학생들에게.

시드는 온화하게 웃으며 전신 갑옷을 내밀고 말했다.

"일단 갑옷을 입고 뛰어. 죽기 일보 직전까지."

""""네에에에에에에에?!""""

————.

"하아아아아앗—!"

"갑니다!"

달리기 훈련이 끝나고 나서 블리체 학급은 일대일 모의전을 시작했다.

지금은 앨빈과 일레인이 격렬하게 검을 맞부딪치며 모의전을 벌이고 있었다.

서로 전력으로 월을 태워 조금도 봐주지 않고 검술로 응수했다.

세검에 의한 앨빈의 재빠른 연속 공격.

한손반검에 의한 일레인의 변화무쌍한 공격.

휘둘리는 칼날과 칼날이 수없이 정면으로 맞부딪쳤다.

앨빈은 질풍처럼, 일레인은 춤추듯이.

두 사람은 종횡무진 움직이며 검을 계속 휘둘렀다. 서로 한 발짝도 물러나지 않았다.

무시무시하게 수준 높은 그 공방을 보고 다른 학급 학생들은 신음할 수밖에 없었다.

이윽고 근소한 차이로 일레인이 앨빈을 이기면서 그 모의전은 끝났다.

"……내가 졌어, 일레인. 마지막 일격은 예측하지 못했어."

"흐흥, 오늘은 제가 이겼네요!"

"일레인, 왜 잘난 척이야. 앨빈한테 진 적이 더 많으면서."

"입 다물어요, 크리스토퍼!"

블리체 학급 학생들은 곧장 시끄럽게 떠들기 시작했다.

그리고.

"이렇게나…… 차이가 나는 건가……."

그 싸움을 관전한 루이제가 분한 듯 중얼거렸다.

루이제뿐만이 아니었다.

요한과 올리비아…… 블리체 학급의 훈련에 참가하길 희망한 모든 학생이 똑같이 창피한 마음이었다.

다른 학급 학생은 이 모의전에 참가할 수 없었다.

블리체 학급의 멤버와 실력 차이가 너무 크기도 하고…… 단순히 달리기 훈련만으로도 기진맥진하여 검을 들 힘조차 없었기 때문이다.

하기야— 검이 파괴된 루이제한테는 휘두를 검조차 없지만.

"뭐, 원래 처음에는 그래요. 신경 쓰지 마세요."

그런 루이제에게 텐코가 격려하듯 말했다.

루이제는 옆에 선 텐코를 올려다보았다.

이 귀미인 소녀는 지난번 4학급 합동 교류 시합 때 처참한 성적을 냈다고 들었다.

하지만 지금은 블리체 학급의 최고 에이스였다.

그리고 아까 텐코의 모의전을 봤기에 알 수 있었다.

도보 백병전은 텐코가 1학년 종기사 중 최강이라고 해도 과언이 아니었다.

지금의 루이제는 이 귀미인 소녀의 칼을 막지도 못할 것이다.

물론 텐코뿐만 아니라 다른 블리체 학급의 학생들과 싸워 봤자 루이제는 상대가 안 될 것이다.

"……너희는…… 대단하네."

"갑자기 왜 그래요?"

전에 없이 유순한 루이제의 태도에 텐코가 눈을 깜빡었다.

"정말로 그렇게 생각했을 뿐이야. 그나저나 월…… 저번에 시드 경에게 그 요령을 배웠지만…… 엄청난 기술이야. 그런 기술이 있다면 내가 이길 수 있을 리가 없어."

이어서 시작된 크리스토퍼와 세오도르의 모의전을 보며 루이제가 절절히 말했다.

"치사하다고 할 건가요?"

"그럴 리가."

텐코의 반문에 루이제는 자조적으로 말했다.

"어설픈 각오로 터득할 수 있는 기술이 아니라는 것쯤은

이제 알아. 이걸 터득하려면 피나는 훈련을 거듭해야 해. 너희가 지금까지 줄곧 한결같이 엄청난 단련을 해 왔다는 것 정도는…… 알 수 있어."

"뭐…… 그렇죠."

뺨을 긁적이며 텐코가 먼 곳을 보았다.

"……이 수준에 이르기까지 여러 가지로 고생했어요."

"하지만 그렇기에 모르겠어."

루이제가 텐코에게 질문을 던졌다.

"왜지? 왜 시드 경은 우리에게 월을 가르쳐 주는 거야?"

"……."

"월은 너희가 약진하는 계기가 된 기술일 터. 그대로 숨겨 두면 너희 블리체 학급은 영원히 학교의 정점에 군림할 수 있을 텐데."

"그럴지도 모르죠."

"지금까지 우리 전통 3학급은 너희를 마구 핍박했어. 우위에 설 기회를 왜 포기하는 거야? 이해가 안 가."

그러자 텐코는 한동안 침묵하다가…… 이윽고 말했다.

"시드 경…… 스승님에게 그런 건 어찌 되든 좋은 일이에요."

"……!"

"스승님은 파벌 싸움이라든가, 정점이라든가, 그런 쩨쩨한 일을 신경 쓰는 사람이 아니에요. 저 사람은 이 나라를 지키는 것과 앨빈을 지키는 것만 생각해요."

텐코는 떨어진 곳에서 학생들의 모의전을 지켜보는 시드를 흘깃 보았다.

"자신이 없어도 문제없을 만큼 이 나라를 강하게 하는 것…… 그게 스승님의 목적이에요. 그걸 위해서라면 입장이나 명예 같은 건 어찌 되든 좋은 거예요, 저 사람은."

이상했다. 텐코의 이야기가 정말이라면 시드의 그 태도는 입장과 명예를 중시하는 기사의 삶의 방식과 정반대였다.

그런데 왜— 그 모습이 누구보다도 긍지 높게 보이는 걸까.

'나는…… 내 기사의 긍지는……?'

그렇게 자문을 반복하는 루이제에게 텐코가 계속 말했다.

"그렇긴 해도 스승님은 사람 보는 눈이 있어요. 나중에 나라를 해칠 만한 족속에게는 절대 가르쳐 주지 않아요. 스승님이 가르쳐 준다는 건 장래성이 있다는 거예요. 분명 나쁜 영향은 주지 않을 거예요."

"그, 그래……?"

"개인적으로 불안하긴 하지만요. 지금의 썩어 빠진 전통 3학급에게 괜한 힘을 줘서 예전처럼 불합리하게 무시당하는 역학 관계로 돌아가면 어쩌나 싶어서요."

"윽…… 그건, 그게…… 미안……."

꽤 원한이 깊은 모습으로 아픈 구석을 찔러서 루이제는 민망해했다.

"하지만 뭐, 그만큼 저희도 강해지면 되는 거고, 애초에 저희의 길은 이제 막 시작됐을 뿐이에요. 제게는 기사로서 해야 할 일이 있어요. 그래서 앞으로도 줄곧 가시밭길을 걸을 거예요. 분명…… 다른 아이들도 마찬가지겠죠."

그렇게 말하며 학우들을 바라보는 텐코의 옆모습은.

역시 어딘가 매우 고결하게 느껴졌다.

루이제보다도 압도적으로―「기사」였다.

"그런가…… 나도…… 너희처럼 강해질 수 있을까……?"

루이제가 불안해하는 모습으로 중얼거렸다.

"월이 뭔지…… 이론은 알았지만, 터득할 엄두가 안나……."

"괜찮아요! 월은 특별한 기술이 아니에요! 살아 있는 자라면 훈련에 따라 누구든 쓸 수 있어요! 강한 의지를 가지고서 자신을 계속 단련하면 언젠가 반드시 쓸 수 있어요! 반드시!"

텐코가 눈을 반짝이며 그렇게 힘 있게 호소해서.

"묘, 묘하게 실감이 담겨 있네……? 하지만 알았어. 고마워……. 모처럼 얻은 기회니까…… 힘내 볼게……."

그렇게 말하고.

루이제는 새로운 마음으로 고개를 끄덕였다.

―――――.

　그리고.

　모두가 열심히 단련에 힘쓰는 합숙 나날은 쏜살같이 흘러갔고―.

―――――.

　―심야.

　심해 밑바닥 같은 호반의 어둠 속에 설치된 뒤란데 학급의 야영지에서.

　"칫…… 진짜 재미없어……!"

　뒤란데 학급의 학생― 가트가 모닥불 앞에 앉아 짜증스레 말했다.

　모든 것을 침식하여 뒤덮을 것 같은 어둠을 유일하게 막는 모닥불의 빛.

　그 흔들리는 불꽃이 등 뒤로 다가온 나무들의 음영을 마물처럼 일렁이게 했다.

　그리고 그런 모닥불은 가트 말고도 두 사람을 더 비추고 있었다.

　통통한 소년 웨인과 키 작은 소년 래드였다.

　두 사람은 가트와 마찬가지로 뒤란데 학급의 학생이었

고, 소위 가트의 떨거지였다.

　결계가 호수 주변을 지키고 있기는 해도 모든 요마를 완전히 막지는 못했다. 비교적 약한 요마는 결계를 뚫고 들어오기도 했다.

　그래서 학생들은 교대로 불침번을 맡았고, 오늘 밤은 이 세 사람이 당번이었다.

　"블리체 학급 녀석들…… 얼마 전까지는 불면 날아갈 잔챙이들이었던 주제에……! 그 바보 여우조차 무식하게 강해지고 말이야……!"

　가트가 모닥불에 신경질적으로 장작을 던져 넣었다.

　화륵! 하고. 일순 불똥이 세차게 튀었다.

　"하지만 가트…… 블리체 학급 녀석들은 이제 진짜로 강해."

　웨인도 짜증스레 투덜거렸다.

　"오늘 오후에 있었던 합동 훈련은 모의전이었는데…… 녀석들을 전혀 이길 수 없었어……."

　"녀, 녀석들, 믿을 수 없게도 이 합숙 중에 한층 더 힘을 키우고 있어요……!"

　래드도 몸을 떨며 중얼거렸다.

　"젠장! 젠장! 젠장!"

　가트도 낮에 겪었던 굴욕을 떠올렸다.

　오늘, 텐코와 모의전을 할 기회가 있었다.

　말할 것도 없이, 두 사람의 형세는 완전히 역전되어서 4

학급 합동 교류 시합 때와 반대가 되어 있었다.

가트는 텐코의 속도와 검술에 꼼짝도 못 했다.

첫날 요마 토벌 때 블리체 학급 학생들이 키리무를 쓰러뜨린 것은 뭔가 잘못된 것이거나 속임수일 거라고 가트는 진심으로 생각하고 있었다.

하지만— 그게 틀림없이 사실임을, 오늘 있었던 모의전을 통해 뼈아프게 통감했다.

"젠장! 어째서?! 그 녀석들은 지령위 송사리였잖아! 왜 이렇게 차이가 나는 거야?! 우리 수준이 더 높을 텐데……!"

더더욱 재미없는 것은 블리체 학급의 실력을 따라잡으려고 학급 불문하고 의욕 있는 학생들이 블리체 학급에 가서 시드의 훈련을 받기 시작했다는 점이었다.

듣자 하니 블리체 학급이 강해진 비결은 윌이라는 전설 시대의 기술이고, 원하는 자에게는 누구든 시드가 가르쳐 준다는 것 같았다.

물론 가트도 시험 삼아 딱 하루만 블리체 학급의 문을 두드렸다.

그 윌이라는 것만 얼른 배울 생각이었다.

하지만 소문과 달리 시드는 그 윌이라는 기술을 전혀 가르쳐 주지 않았다.

매우 온화한 얼굴로 「우선 갑옷을 입고 뛰어」라는 말만 했다.

일단 해 보긴 했지만, 무진장 피곤하고 힘들고 고통스러울 뿐이었다.

요정검을 쓰면 전혀 무의미한 훈련인데 왜 해야 하는지 알 수 없었다.

바보 같은 짓이란 생각이 들어서 하루 만에 그만뒀다.

"월이란 기술 같은 건 없어! 무조건 거짓말이야! 그《야만인》, 우리를 조롱하며 놀고 있는 거야!"

"하, 하지만 가트 씨…… 실제로 그 녀석들은 그 월이란 기술로 강해졌다잖아요."

"당연히 뭔가 마법 도구나 트릭을 쓴 거겠지! 지령위 송사리가 그렇게 강해지다니 말이 돼? 말이 되면 안 되지!"

그렇게 말하고서.

가트는 자신의 도끼형 요정검을 잡아 바위에다 내리치기 시작했다.

"젠장! 내 요정검이 더 강했으면 좋았을 텐데! 정령위는 개뿔! 잡검이라고, 너! 젠장! 젠장! 젠자아아아앙—!"

깡! 깡! 깡!

바위에 요정검을 내리치는 금속음이 밤의 정적에 메아리쳤다.

"하지만 가트. 최근 진지하게 그런 생각이 들지 않아? 우리의 검이 좀 더 강했다면 좋았을 텐데."

"그래. 강한 요정검만 있으면 그딴 낙오자들 상대도 안 될 텐데!"

"크헤헤헤, 그렇죠…… 역시 신령위 정도는 갖고 싶어요."

"확실히 정령위 따위는 우리의 그릇에 부적합하단 말이야."

"아아~ 꽝을 뽑은 탓에 개고생이네."

그렇게.

가트, 웨인, 래드가 말하고 있으니.

"……강한 검을 갖고 싶지 않나요?"

갑자기 그런 목소리가 가트 일행의 귀에 미끄러져 들어
왔다.

화들짝 놀라 돌아보자 한 여인이 숲의 어둠 속에서 유유
히 걸어왔다.

이윽고 모닥불의 불빛을 받아 드러난 그 얼굴은—.

"이자벨라?! 당신 《호반의 여인》의 수장, 이자벨라잖아!"

옛 맹약에 따라 이 왕국과 왕가에 힘을 빌려주는 《호반
의 여인》의 수장이자, 캘바니아 왕립 요정기사 학교의 학
교장— 이자벨라.

갑자기 전혀 예상치 못한 방문객이 나타나서 가트 일행
은 상황을 이해하지 못하고 눈을 끔뻑였다.

"어, 어째서 이자벨라 님이 이런 곳에……? 성에서 정무
를 보시는 것 아니었나요……?"

"여기 온다고 했던가요?"

그렇게 눈을 끔뻑이는 가트 일행을 무시하고서.

"……강한 검을 갖고 싶지 않나요?"

이자벨라는 감정을 읽을 수 없는 표정으로 담담히 말했다.

가트 일행은 서로 얼굴을 마주 보고 고개를 갸웃했다.

"무, 무슨 말을 하는 건지 모르겠는데."

"후후, 말 그대로예요. 만약 신령위…… 아뇨, 그 이상의 힘을 가진 요정검을 손에 넣을 수 있다면…… 어쩌시겠어요?"

"뭐? 신령위보다 강한 검……? 그딴 게 있을 리가……."

"있어요. 이곳 《검의 호수》에는 신령위보다 강한 요정검이 존재한답니다."

그런 이자벨라의 말에…… 가트 일행은 일순 침묵했다.

"아니아니, 잠깐만! 그건 역시 못 믿겠어!"

"마, 맞아. 그런 얘기는 들은 적도 없어……."

"마, 맞아요, 맞아요!"

하지만.

이자벨라는 요요하게 빛나는 눈으로 가트 일행의 눈을 똑바로 바라보았다.

마치 혼 자체를 직시하는 듯한, 마음에 숨어드는 시선이었다.

"못 믿을 만도 하죠. 이 사실은 우리 《호반의 여인》에게 예로부터 전해져 내려오는 비밀이니까요."

이자벨라가 그렇게 단언하니…… 확실히 어느 정도 신빙성은 있었다.

"윽…… 정말로……?"

혹하기 시작한 가트 일행을 향해 이자벨라가 요염하게 웃으며 말했다.

"현 왕가에게 나라의 미래를 짊어질 힘은 없어요. 여러분도 아시죠?"

"뭐…… 그야……."

"사실 이번에 우리 《호반의 여인》은 엄정한 협의 끝에, 무능한 왕가에게는 가망이 없으니 옛 맹약을 파기하고, 더 힘 있는 3대 공작 편에 붙기로 했습니다."

"그게 정말인가요?!"

"아, 아니, 그렇지……! 확실히 뭐, 그야 그렇겠지! 지금까지 안 그랬던 게 더 이상해!"

"맨날 맹약 타령만 하는 시끄러운 사람들인 줄 알았는데 꽤 똑똑하네요!"

그렇게 웃는 가트 일행에게 이자벨라가 계속 말했다.

"……여러분이 생각하기에 이상하지 않았나요? 지령위밖에 없는 블리체 학급이 갑자기 그렇게 강해진 게……."

"뭐? 이상하지 않았냐고 물어봐도……."

"아니, 잠깐만. 설마……?"

뭔가를 눈치챘는지 가트가 퍼뜩 놀랐다.

"네, 맞습니다. 그들은 여기서「신령위를 넘어선 요정검」을 손에 넣은 겁니다."

"뭐?!"

"화, 확실히…… 그렇다면 녀석들의 그 힘도 설명이 돼……!"

"뭐라고요?! 온갖 잘난 척은 다 하더니 결국 좋은 검 덕분이었군요?!"

"칫…… 그 녀석들, 아주 우습게 봤나 보네……! 월은 개뿔!"

판명된 충격적인 사실에 가트 일행은 분개했다.

"그럼 그《야만인》이 이해할 수 없이 강한 것도 혹시……?"

"네, 맞습니다. 그의 남다른 힘도「신령위를 넘어선 요정검」에 의한 것. ……사람이 맨몸으로 그렇게까지 강할 리가 없잖아요?"

이자벨라가 한없이 웃으며 대답했다.

"여, 역시나……!"

납득했다는 것처럼 이를 가는 가트 일행은 눈치채지 못했다.

이자벨라의 눈이 어둠 속에서 섬뜩하게 빛나고 있음을 눈치채지 못했다.

그 요요한 빛에 자신들의 혼이 붙잡혀 있음을 전혀 눈치채지 못했다.

「신령위를 넘어선 요정검」…… 이 비밀 의식을 해금하

는 것은 전설 시대 이후로 처음입니다. 지금까지는 시험적으로 블리체 학급에만 줬지만…… 더는 그럴 필요 없죠. 이제부터 전통 3학급에도 해금하겠습니다. 그리고 여러분 같은 보기 드문 소질을 가진 이들에게 우선적으로 새로운 검을 드리고 싶습니다."

"소, 소질……? 우리가……?"

"마, 맞아…… 헤헤, 그래, 그렇게 나와야지."

치솟는 고양감에 가트 일행이 고개를 주억거렸다.

"이제 그 시건방진 블리체 학급에게 본때를 보여 줄 수 있겠네."

"헤헤헤! 지금까지 아주 건방을 떨었지만, 다시 입장이 원래대로 돌아갔을 때 녀석들의 얼굴이 어떻게 될지 상상하니 웃음이 나네요!"

"그러니까 말이야!"

가트 일행은 이자벨라의 이야기를 완전히 믿어 버렸다.

사람은 진실을 믿는 것이 아니다.

자신이 믿고 싶은 것을 진실이라고 믿는다. 진실이라고 믿고 싶은 것이다.

가트 일행은 블리체 학급이 자신들보다 강해졌다고 믿고 싶지 않았다.

간단히 블리체 학급을 앞지를 방법이 있다고 믿고 싶었다.

그런 심정을 이 이자벨라는 마음을 조종하는 마법으로

교묘하게 부추겼다.

사람의 마음이나 인식을 조작하는 속임수 마법.

【거짓과 진실의 경계선】. 어둠 측 세력이 잘 쓰는 고대 마법이었다.

"그럼 바로 가죠. 새로운 검을 가지러—."

그리고 그런 이자벨라의 유혹에 저항할 수 없는 가트 일행은 이자벨라가 이끄는 대로 쫄레쫄레 그 뒤를 따라갔다.

———.

"오늘 하루도 수고하셨습니다."

"그래, 너도 수고했어."

이곳은 블리체 학급의 야영지.

정면에는 달빛을 받아 반짝이는 호면이 펼쳐져 있었고, 뒤에는 울창하게 숲이 우거져 있었다.

그런 한적한 호숫가의 트인 공간에서 모닥불이 타닥거리며 붉게 타올랐고, 그 주위에 시드와 앨빈이 앉아 있었다.

"내가 불침번을 설 테니까 너희는 쉬어도 돼."

통나무에 앉은 시드가 힐끗 시선을 보낸 곳에 천막이 세 개 있었다.

크리스토퍼와 세오도르의 천막.

일레인과 리네트의 천막.

그리고 그 두 천막과 조금 떨어진 곳에 설치된 앨빈과 텐코의 천막이었다.

크리스토퍼, 세오도르, 일레인, 리네트는 낮에 있었던 훈련 때문에 지쳤는지 자신들의 천막에서 푹 잠들어 있었다.

참고로 텐코는 앨빈과 함께 불침번 당번이지만……

"zzz…… 더는…… 못 먹어요오……."

칼집에 넣은 칼을 소중하게 끌어안고서, 앨빈과 마찬가지로 모닥불 앞에 앉은 채 잠들어 있었다. 살랑…… 살랑…… 하고 귀와 꼬리가 때때로 흔들렸다.

"그럴 순 없어요."

앨빈이 그런 텐코의 어깨에 휴대용 담요를 덮어 주며 말했다.

"이건 야전에 대비한 야영 훈련도 겸하고 있으니까요. 그리고 언제까지고 시드 경만 의지할 수는 없는걸요."

앨빈은 포장지에 들어 있던 분말 수프를 컵에 넣었다.

그리고 모닥불에 올려 뒀던 주전자를 잡아 컵에 뜨거운 물을 붓고 시드에게 건넸다.

"오, 땡큐."

시드는 즉석 닭고기 수프를 조용히 마셨다.

요정계라고는 해도 밤은 역시 쌀쌀했다. 따뜻한 수프는 무엇보다 고마웠다.

"……앨빈. 생활하면서 뭔가 문제는 없어?"

수프를 마시며 시드가 조금 머뭇머뭇 물었다.

"너는 이런 야외 생활에 불편한 점도 많을 거 아니야."

시드는 앨빈이 여성이라는 것을 신경 써 주고 있는 것 같았다.

"네, 괜찮아요."

앨빈은 기쁜 기색을 보이며 대답했다.

"시드 경이 이것저것 은근히 배려해 주시고…… 텐코도 있으니까요."

앨빈은 잠든 텐코를 보고 작게 웃었다.

원래부터 앨빈이 여성임을 아는 사람은 텐코와 이자벨라, 이렇게 두 사람뿐이었지만, 어쩌다 보니 시드도 그걸 알게 되었다.

그리고 약 4개월 전에 용이 왕도를 습격한 후, 앨빈의 재량으로 세 사람 사이에서 그 비밀을 다시금 공유하게 되었다.

"텐코는 항상 저를 도와줘요…… 예나 지금이나."

텐코는 어릴 때부터 앨빈의 시녀이자 호위였다.

그래서 앨빈을 챙기고 보조하기 위해 텐코가 앨빈과 같은 천막을 쓰는 것을 주변 사람들은 비교적 간단히 받아들였다.

덕분에 앨빈은 생각보다 더 원활하게 생활하고 있었다.

다만 「아, 역시 두 사람은 그런 관계구나……」 하는 시선은 늘었다.

『뭐, 앨빈도 남자고, 왕족이고, 부럽— 어쩔 수 없지! 응!』

『그, 그그그, 그렇죠! 어쩔 수 없죠! 여러 가지로!』

크리스토퍼와 일레인은 무슨 생각을 했는지 앨빈의 천막과 떨어진 곳에 자신들의 천막을 설치했고.

『저, 저저저, 저기, 텐코! 나, 남녀의 밤일은…… 그게, 그러니까, 어, 어, 어떤 느낌인가요?!』

리네트는 얼굴을 새빨갛게 물들이면서도 가장 흥미를 보이며 그런 질문을 했다.

『네? 네에에에에?! 그게, 으음……? 괴, 굉장……하죠……?』

텐코도 새빨간 얼굴로 꼬리를 만지작거리며 오해를 조장했기에, 리네트는 더더욱 망상을 부풀리며 혼자서 멋대로 불타올랐다.

'뭐, 여자라는 걸 어설프게 숨기는 것보다 그런 걸로 해두는 편이 낫나.'

시드는 쓴웃음을 지으며 컵에 든 수프를 마셨다.

한동안 시드와 앨빈은 잡담을 찔끔찔끔 이어갔다.

그러다 이윽고 이야깃거리가 떨어지며 두 사람 사이에 침묵이 흘렀다.

하늘을 올려다보니 별이 가득 떠 있었다.

옛날과는 전혀 다른 모습의 별하늘이었다.

밤바람, 벌레 소리. 밤의 정적에 올빼미의 울음소리가

메아리쳤다.

그렇게 시간의 흐름이 느슨하게 느껴지던 때였다.

"저, 저기…… 시드 경……?"

갑자기 앨빈이 모닥불을 바라보는 시드를 불렀다.

시드가 시선을 돌리니 앨빈은 주위를 살피듯 두리번거리고 있었다.

"왜 그래?"

"……그게…… 저…… 그쪽으로 가도 될까요……?"

"……."

"어어…… 조금…… 추워서…… 그래서…….."

그렇게 횡설수설 말하며 얼굴을 붉힌 앨빈이 시선을 피했다.

시드는 예전에 앨빈이 가끔 여자로 돌아가고 싶어지는 때가 있다고 말한 것을 떠올렸다.

"……그래, 와."

시드는 쓴웃음을 지었다.

그 다정한 눈길은 마치 귀여운 손녀딸을 아끼는 할아버지 같았다.

"가, 감사합니다!"

앨빈은 기쁘게 미소 짓고서 쪼르르 이동하여 시드 옆에 앉았다.

시드는 그런 앨빈의 어깨에 휴대용 담요를 덮어 줬다.

"어리광쟁이네, 임금님. 이래서야 앞날이 걱정돼."

"우우…… 지금만큼은 그런 말 하지 말아 주세요……."

시드의 어깨에 머리를 기댄 앨빈이 입을 삐죽였다.

하지만 그 표정은 금세 안도한 표정으로 바뀌었다.

시드의 체온을 느끼자 여태까지 팽팽하게 당겨 됐던 어떤 실이 끊어져 버렸는지.

앨빈의 눈이 서서히…… 서서히 감겼다…….

'……친구의 자손인가……. 만약 나한테 딸이나 손자가 있었다면 이런 느낌이었을지도 몰라.'

시드도 특별히 뭔가를 하지 않고 그대로 앨빈에게 어깨를 빌려줬다.

온화한 밤이 흘러갔다.

그저 평온만이 지배하는 상냥한 한때가 흘러갔다.

하지만— 그건 갑작스러웠다.

이런 때에도 결코 무뎌지지 않는 시드의 예민한 감각이 **그것**을 감지했다.

다가오는 위기의 냄새. 피 튀기는 싸움의 기운을—.

벌떡!

시드가 일어났다.

호수의 어떤 방향을 날카롭게 응시했다.

"꺅?! 시, 시드 경?!"

화들짝 깨어난 앨빈이 시드를 올려다보았다.

"왜, 왜 그러세요?"

"다른 애들 전부 깨워. 완전히 무장한 전투태세로 주위를 최대한 경계하면서 내가 돌아올 때까지 대기해. 하지만 상황에 따라서는 앨빈, 네가 지휘하도록. 알았지?"

그 말을 남기고 시드가 땅을 박찼다.

그리고 그대로 바람처럼 달려갔다.

─────.

요정계 《검의 호수》.

대자연의 녹음이 우거진 그 층의 중심에는 그 이름대로 광활한 호수가 있다.

그리고 그 호수의 중심에는 작은 섬이 있었다.

가트, 웨인, 래드를 태운 작은 배가 지금 그 섬에 다다랐다.

그곳에는 돌로 만들어진 작은 사당이 서 있었다.

사당에 모셔진 것은 검 한 자루였다.

검의 표면에는 고대 요정어로 뭐라고 문구가 적혀 있었고, 은은한 마나광을 내며 빛나고 있었다.

"이, 이게 바로……."

"신령위를 넘어선 요정검의 봉인……?!"

"이걸 부수면 신령위를 넘어선 요정검이 호수에 나타나게 돼……! 헤헤! 이자벨라 님이 말한 대로야……!"

가트가 손을 풀며 그 검으로 다가갔다.

"하, 하지만 가트 씨…… 그런 엄청난 것을 정말 우리 힘으로 부술 수 있을까요?"

"그런 마법적 시스템이라고 이자벨라 녀석이 설명했잖아."

가트가 콧방귀를 뀌었다.

"**세 명**이 동시에 검을 공격하면 간단히 부술 수 있다. 한 명도 두 명도 안 되고 네 명 이상도 안 된다. 딱 세 명. 그게 열쇠라고 했어."

"마, 맞아…… 그랬지……. 복잡한 마법 얘기는 모르겠지만…… 뭐, 우리는 호흡이 딱딱 맞으니까! 맡겨 둬!"

"히히히! 설마 우리가 신령위를 넘어선 검을 손에 넣게 될 줄이야……."

그런 대화를 나누면서.

가트 일행은 각자의 요정검을 들고 사당에 모셔진 검을 보았다.

그리고 그 검을 향해 공격을 가하기 시작했다.

불규칙적이고 간헐적인 타격음이 주위에 울려 퍼졌다.

"멍청이들아! 타이밍을 맞추라고!"

"래드! 너 느려!"

"웨, 웨인 씨가 빠른 거예요!"

"쫑알쫑알 시끄러워! 집중해!"

역시 완전히 똑같은 타이밍에 공격하는 것은 그런대로 어려웠다.

하지만 여러 번 하다 보면 한 번은 성공하는 법이라서.

계속해서 반복한 끝에 마침내— 그때가 왔다.

""""으아아아아아아아아—!""""

콰직!

우연히 세 사람의 공격이 완벽하게 일치했고.

그 순간, 사당의 검이 간단히 부러졌다.

"됐다아아아아아아—!"

"이, 이제 우리도 신령위보다 강한 요정검을 손에 넣는 거야……!"

"맞아요! 눈엣가시인 블리체 학급 녀석들도 혼내 줄 수 있어요……!"

가트 일행은 환희했다.

하지만—.

"……어?"

풍덩! 풍덩! 첨벙!

무수한 물소리가 일제히 일더니.

호면에 떠 있던 요정검들이 갑자기 뭔가를 두려워하듯

물속으로 일제히 숨었고.

그리고―.

―――――.

호숫가 한편에 마련된 선착장.

거기서 섬 쪽을 응시하며 서 있는 이자벨라 뒤쪽에.

척! 갑자기 사람이 나타났다.

시드였다.

"……음? 시드 경. 안녕하세―."

이자벨라가 요염하게 미소 지으며 돌아보려고 한 순간―.

시드는 벼락같은 속도로 이자벨라에게 다가와 번개가 넘실대는 오른손을 뻗었다.

그야말로 질풍신뢰, 전광석화.

이 시대의 인간 중에 시드의 그 가감하지 않은 일격을 피할 수 있는 자는 없다.

―그럴 텐데.

"……느닷없이 공격하다니 너무한 남자야, 《야만인》."

훌쩍.

시드의 공격을 여유롭게 파악하여 피하고서.

이자벨라는 호면에 내려섰다.

"이 얼굴을 가진 여자는 너의 친구 아니었나?"

이자벨라의 모습을 한 누군가가 으스스하게 웃었다.

시드는 방심하지 않고 몸을 긴장시키며 그 누군가를 응시하고서 말했다.

"숨길 수 없는 그 어둠의 마나…… 네가 이자벨라일 리 없어."

그러자.

"흥. 그래, 맞아. 너한테 들켰으니 이제 이런 연극은 끝이다."

이자벨라의 전신에서 곧장 어둠이 흘러넘치면서— 그 모습이 무너지며 바뀌었다.

꿈틀거리는 어둠이 한 기사의 모습을 만들어 나갔다.

이윽고 시드 앞에 나타난 것은…… 검은색 전신 갑옷과 검은색 외투를 걸친 기사였다.

풀페이스 투구를 쓰고 있어서 얼굴은 엿볼 수 없었다.

하지만 그 투구의 형태와 어깨의 깃털 장식은 어딘가 올빼미를 연상시켰다.

"……암흑기사인가."

그 암흑기사— 올빼미 경이 낮게 웃으며 허리에 찬 장검을 뽑았다.

올빼미의 눈을 본뜬 것 같은 꺼림칙하게 생긴 장검이었다.

어둠의 마나가 도신에서 넘쳐흘렀다.

기가 질릴 만큼 강대한 힘을 가진 고위 검정 요정검이라는 것을 한눈에 알 수 있었다.

"……너는."

그리고 올빼미 경의 모습과 검을 본 순간, 시드는 기사의 정체를 알아차린 것처럼 눈을 찌푸렸다.

"살아 있었나."

올빼미 경도 자신의 정체가 탄로 날 것은 알고 있었던 것 같았다.

"뭐, 너한테 「올빼미」라는 이름을 대 봤자 의미 없겠지. 《야만인》."

"……."

"훗…… 재회를 축하하며 건배라도 하고 싶지만……."

"거기서 비켜."

시드가 날카롭게 말했다. 그 눈은 호수의 섬에 다다른 작은 배와 거기서 뭔가를 하고 있는 것 같은 사람들을 응시하고 있었다.

"너…… 뭐 하려는 거지?"

"글쎄? 하지만 뭐, 너는 야만인 주제에 비교적 총명하니까. 어렴풋이 알아챘겠지."

"웃기지 마. 저 사당의 검이 어떤 물건인지…… 모르진 않을 텐데?"

"당연히 알지."

"그렇다면— 비켜."

그 순간, 번개선이 땅을 달렸다.

—【신뢰각】.

시드가 번개로 화하여 올빼미 경에게 달려들었다.

하지만 그런 시드의 벼락같은 손날 일격을—.

"하하하하! 느려! 느려 터졌어, 《야만인》!!"

—올빼미 경은, 피했다.

심지어 피하면서 검을 휘둘러 시드에게 일격조차 가했다.

촥! 잔심 상태에 들어갔던 시드의 흉부에서 피가 솟구쳤다.

"날 얕보지 마. 《섬광의 기사》 시드 경. 전설 시대에도 내가 너보다 더 강했으니까."

"……."

"뭐, 좋아. 일단 전초전을 벌이기로 할까. 이 시대에 너는 이제 막 잠에서 깬 상태야. 준비 운동도 필요하겠지. 안 그래?"

그렇게 말하고서.

올빼미 경이 검을 들었다.

"검정 요정검 · 신령위 《천칭의 수호 올빼미》— 이 이름을 품고서 죽어라."

"……검이 울고 있어."

시드가 올빼미 경의 검을 아득한 눈으로 바라보며 중얼

거렸다.

"만물의 섭리와 변화를 관장하던 당대 최고의 파랑 요정 검이…… 그렇게 되다니."

"마음대로 말해. 내 모든 것은 그분을 위해 있어. ……더러운 배신자인 너의 말 따위, 내 마음에 아무런 감흥도 못 줘."

올빼미 경의 검에서 어둠이, 어둠이, 압도적인 어둠이 흘러넘쳐서— 공간을 심연 밑바닥으로 가라앉혔다.

이에 시드는 말없이 오른손에 번개를 담았다.

터지는 번갯불이 무한히 퍼지는 어둠을 막았다.

대치한 두 사람의 공간이 어마어마한 투기와 마나로 팽팽해졌고—.

그리고— 긴장감이 극에 달했을 때.

콰직!

호수의 섬 쪽에서 뭔가를 파괴하는 소리가 밤의 어둠에 울려 퍼졌다.

————.

—블리체 학급의 야영지에서.

"어, 어떻게 된 거지……?"

시드가 지시한 대로 대기하던 앨빈이 밤하늘을 올려다보며 아연실색했다.

"지, 진짜냐……."

"대체 무슨 일이 벌어지고 있는 거야……?"

그건 크리스토퍼와 세오도르 등…… 다른 학생들도 마찬가지였다.

월을 터득하면서 자신과 자연계의 마나 흐름을 영적으로 파악하게 되었기에 알 수 있었다.

이 호수 주변을 수호하던 신성한 힘이…… 서서히 사라지고 있었다.

심층의 무시무시한 맹위로부터 학생들을 지켜 주던 【결계】가 사라져 갔다.

아무런 전조도 없이. 너무나도 허무하게. 너무나도 조용히.

"……!"

침묵.

주위에서 소리가 사라지고, 벌레와 새의 기척이 완전히 사라졌다.

밤의 어둠과는 다른 어둠이 숲 안쪽에서 밀려들어 깊어지는 것 같은 착각이 들었다.

섬뜩하리만큼 적막했다.

긴장감이 고조되었다.

그리고— 이 순간을 기다렸다는 것처럼.

뒤쪽에 펼쳐진 숲의 심해 같은 어둠 속에서.

무언가가, 그것도 대거— 엄청난 속도로 약동하여 육박했다.

"얘들아, 온다!"

앨빈이 그렇게 날카롭게 경고하고, 일동이 몸을 긴장시킨 순간.

『크오오오오오오오오오오오오오—!』

무수한 검은 개— 흑요견들이 떼로 나타나, 발톱과 이빨과 살의를 드러내며 앨빈 일행에게 달려들었다.

하지만 이제 와서 앨빈 일행이 흑요견을 상대로 고전할 리 없었다.

"하앗—!"

"이이이이야아아아아아아아아—!"

서로 등을 지키듯 둥글게 진형을 갖추고서 요정검을 들었다.

앨빈의 세검이, 텐코의 칼이, 일레인의 한손반검이, 크리스토퍼의 대검이, 리네트의 창이, 세오도르의 소검이.

번뜩이고, 뒤집히고, 쓸어 넘기고, 반격당하고, 휘둘리고, 돌려져서—.

흑요견들을 간단히 요격해 모조리 타도했다.

"다들 괜찮아?!"

"네! 이 정도 상대라면 저도 싸울 수 있어요……!"

조금 긴장한 모습으로 창을 들면서도 리네트가 힘차게 고개를 끄덕였다.

"하지만 상황이 안 좋아, 앨빈."

주위 상황을 냉정하게 살피던 세오도르가 경고했다.

"결계가 사라져서 요마에게 습격받고 있는 건 다른 학급도 마찬가지인 것 같아."

그런 세오도르의 말을 증명하듯이.

"으아아아아아아아아악—?!"

"으, 으아아아아아아아아아아아아아아아—?!"

다른 학급의 야영지에서 비명이 들리며 주위가 갑자기 어수선해졌다.

요마들의 습격은 완전히 야습이었기에 대처가 늦어지고 있으리란 건 쉽게 상상이 갔다.

이대로 가면 모든 학급의 학생들이 큰 피해를 볼 것이다.

"우리도 이곳에 계속 머물면 위험해. 숲속에서 새로운 적이…… 심지어 더 강력한 녀석들이 몰려드는 게 느껴져. 역시 키리무 수준의 요마는 흔치 않을 거라고 믿고 싶지만……."

초조함을 감추지 못하는 모습으로 세오도르가 말했다.

"어, 어쩌죠? 앨빈!"

그런 텐코의 물음에 앨빈은 즉결했다.

"2인 1조로 각 학급을 엄호한다! 그리고 모두를 유도하여 이 층의 입구에서 합류! 모두 모인 걸 확인하는 대로 요정계에서 이탈한다! 결계가 사라진 이상, 이 층은 이제 우리가 있어도 될 곳이 아니야!"

"알겠어요!"

"그래, 알겠어! 다들 죽지 마!"

"무, 무운을 빌어요!"

이리하여.

앨빈 일행은 망설이지 않고 흩어졌고.

대혼란에 빠지기 시작한 각 학급의 야영지를 향해 달려갔다.

―――――.

갑자기 호숫가가 시끄러워지고 비명과 고함이 교차하기 시작해서.

가트는 덜덜 떨며 외쳤다.

"뭐, 뭐야……?! 대체 무슨 일이 벌어지고 있는 거야……?!"

"이봐, 가트! 어떻게 된 거야?! 이, 이 검을 부수면 더 강한 검이 손에 들어오는 거 아니었어?!"

"뭐, 뭔가 엄청 위험한 상황이 되지 않았나요?!"

"시, 시끄러워……!"

"이, 이거…… 혹시 우리, 속은 거 아니야……?!"

"애초에…… 왜 이자벨라 님이 여기 있었던 거죠?! 그 사람은 성에서 정무를 보고 있잖아요! 이런 곳에 있을 리가…….'"

"서, 설마…… 우리……."

"시끄러워어어어어어어어어어어어어어어어어어—!"

허둥거리는 웨인과 래드를 밀치고서 가트가 외쳤다.

"지, 지금 그런 소리 할 때야?! 어쨌든 몰래 돌아가자!"

"아! 같이 가요, 가트 형!"

가트가 나룻배로 맹렬히 돌아가더니 배를 밀어 출항했다.

웨인과 래드도 허둥지둥 가트와 함께 배에 올라타 필사적으로 노를 젓기 시작했다.

"제, 젠장……! 왜…… 왜 일이 이렇게 된 거야—!"

가트도 요정검 사용자다.

지금 이 층에서 무슨 일이 벌어지고 있는지. 자신들이 무슨 짓을 저질렀는지…… 영적인 감각으로 어렴풋이 알 수 있었다.

자신들은— 엄청난 일을 거들어 버린 것이다.

'아, 아니야…… 내 탓이 아니야! 우리 탓이 아니야! 우리는 속은 거야! 우리 탓이 아니야아아아아아—!'

마음속으로 그렇게 절규하며 가트는 필사적으로 노를 저어 호숫가로 향했다.

어쨌든 지금은 학급 야영지에 은근슬쩍 돌아가서 시치미

를 뗄 수밖에 없었다.

앞으로 어떻게 변명하고, 말을 맞추고, 책임을 전가할지…… 머릿속엔 그런 생각뿐이었다.

————.

"힉—?!"

갑자기 요마가 습격해 와서 루이제는 비명을 지르며 우왕좌왕할 수밖에 없었다.

루이제뿐만이 아니었다.

뒤란데 학급도, 오르토르 학급도, 앤서로 학급도.

모든 학생이 대혼란에 빠져 있었다.

갑자기 숲속에서 다양한 요마가 떼를 지어 노도와 같이 습격해 왔다.

결계가 기능하던 때와는 비교가 되지 않는 강력한 요마들이었다.

고개를 쳐들어야 할 만큼 거대한 체구, 사나운 근육질의 귀인(鬼人) 요마— 오거.

사자 같은 거구에 머리가 셋 달린 대형견 요마— 케르베로스.

머리와 앞발, 날개는 참수리고 몸통은 사자, 천공의 지배자인 요마— 그리핀.

다행히 키리무급 요마는 없었지만, 그 밖에도 다양한 요마가 잇따라 야영지를 습격했다.

각 학급의 교관 기사들이 고함치며 지시를 내리고 있지만, 대혼란의 소란에 파묻혀 누구에게도 전해지지 않았다.

"으, 으아…… 으아아아아아?! 오지 마……! 오지 마아아아―!"

혼란 속에서 학생들이 우왕좌왕하는 가운데, 루이제는 필사적으로 검을 휘둘렀다.

밟아 죽이려고 다가오는 오거의 다리를 베고, 불을 뿜는 케르베로스의 돌진을 굴러서 피했다.

루이제의 요정검에는 키리무와 싸우면서 부러진 대미지가 남아 있었다.

요정검은 굳이 사람 손으로 수리하지 않아도 시간이 지나면 어느 정도는 자가 수복된다. 실제로 루이제의 검은 부러졌던 흔적이 아직 남아 있긴 해도 일단 붙어 있었다.

하지만 당연히 지금 루이제의 요정검은 완전한 상태와는 거리가 멀었다.

평상시 신령위 요정검의 무시무시한 출력을 지금은 찾아볼 수 없었다.

"젠장…… 젠장……!"

루이제는 손상된 검으로 필사적으로 싸웠다.

루이제뿐만이 아니었다.

지난번에 무모하게도 키리무에게 덤볐던 각 학급 에이스들의 검은 크든 작든 다들 파손되어 있었다.

그래서 학생들은 요마의 습격에 한층 고전하고 있었다.

'나, 나는…… 검이 없으면 이렇게나 약한 건가……?!'

평소 같으면 문제도 안 될 수준의 요마에게도 밀리고 농락당해서 루이제는 이를 갈았다.

그런 루이제에게.

"―윽?!"

뒤에서 흑요견 세 마리가 맹렬히 달려들었다.

확실히 말해서 송사리였다. 평소의 루이제였다면 말이다.

하지만 요정검이 약해진 데다가, 정면의 오거가 양손으로 내려친 몽둥이를 머리 위로 쌍검을 들어서 막고 있는 상황에서는 어쩔 도리가 없었다.

'마, 말도 안 돼……. 내가 이딴 잔챙이 요마에게……?!'

어쩔 도리가 없어서 루이제가 죽음을 각오했을 때.

"―하아!"

누군가가 옆에서 바람처럼 나타나 세검을 휘둘렀다.

은빛이 세 번 번쩍이더니― 흑요견 세 마리가 순식간에 구멍이 뚫려서 날아갔고―.

"이이이이이야아아아아아아아아아―!"

붉게 타오르는 궤적이 세로로 그어지면서.

루이제가 상대하던 눈앞의 오거가 깔끔하게 양단되어 좌

우로 갈라졌다.

흑요견들과 오거는 곧장 마나 안개가 되어 소멸했다.

회오리치는 빛의 입자 건너편에 나타난 것은—.

루이제의 등을 지킨 것은—.

"테, 텐코?! 그리고 앨빈?!"

"위험했네, 루이제! 가세하러 왔어!"

"가, 가세……?"

본인들도 위험한 상황일 터다.

자기 몸을 지키는 것만으로도 벅찰 테니, 다른 학급은 신경 쓰지 않고 자신의 안전을 확보하는 데 전념하더라도 뭐라고 하는 사람은 아무도 없을 터다.

그런데— 가세하러 왔다.

위험할 걸 뻔히 알면서, 앨빈과 텐코는 다른 학급을 도와주러 왔다.

"너, 너희는, 왜 우리를……?"

"루이제, 지금은 학급 간의 갈등이나 악연을 신경 쓸 때가 아니야! 다 같이 협력하지 않으면 전멸할 수도 있어!"

앨빈과 텐코는 멍해진 루이제를 내버려 두고서 이미 새로운 요마들과 싸우고 있었다.

때마침 들이닥친 케르베로스 무리를 물리치고, 닥치는 대로 베어, 습격받고 있는 다른 학생들을 도와주고 있었다.

"괜찮아요?!"

"……으…… 아…… 너는…… 블리체 학급의 텐코……?"

"고, 고마워…… 흑…… 훌쩍…… 이제, 다 틀렸다고 생각했어……."

"감사 인사는 나중에 해요! 자, 일어나요! 요정계 입구까지 달리는 거예요!"

텐코가 다쳐서 우는 학생들을 질타하여 이동하라고 재촉했다.

그 광경을 루이제가 멍하니 바라보고 있으니.

"뭐 해, 루이제!"

그런 루이제를 앨빈이 검을 휘두르며 질타했다.

"네 요정검이 완전한 상태가 아니라는 건 알아! 하지만 그래도 아직 할 수 있는 일이 있을 거야! 싸울 수 있을 거야!"

눈앞의 요마를 베며 앨빈이 그렇게 외쳐서.

"그, 그래…… 맞아……."

루이제도 전열에 가세하여 싸우기 시작했다.

파손되었어도 역시 신령위는 신령위였다. 루이제는 다른 학생들보다 훨씬 잘 싸웠다.

하지만 윌을 태워 폭풍처럼 몰아치는 앨빈과 텐코에 비하면 루이제는 너무나도 약했다. 무력했다.

기껏해야 두 사람의 발목을 잡지 않는 게 한계였다.

'젠장……! 나는…… 나는……!'

자신이 못나고 한심해서 루이제는 눈물을 머금은 채 검

을 휘둘렀다.

─────.

앨빈, 텐코, 루이제는 혼란에 빠진 학생들을 지키며 계속 싸웠다.

야영지를 전전하며 요마를 물리치고 학생들을 대피시켜 나갔다.

얼마나 많은 요마를 벴는지도 이제 알 수 없었다.

대체 이 습격이 언제 끝날지도 알 수 없었다.

그저 정신없이 싸우며 요마에게 공격받는 학생들을 도왔다.

그리고―.

─────.

요마를 물리치고 학생들을 대피시키며 야영지를 전전하다 보니.

"하아…… 하아…….”

"헉…… 헉……!”

어느새 앨빈 일행은 호숫가 한편에 와 있었다.

그곳에는 물질계로 귀환하는 환상(環狀) 열석(列石) ^{스톤 서클} 유적―「문」이 있었다.

합숙에 참가한 모든 1학년 종기사가 그「문」주위에 모여 있었다.

요마의 습격으로 다친 학생들이 서로를 부축하고 있었다.

"무사했구나! 앨빈! 텐코!"

"다, 다, 다행이에요~!"

"뭐, 나는 전혀 걱정하지 않았지만."

앨빈과 텐코는 지금까지 따로 행동했던 블리체 학급의 면면과 합류했다.

그리고―.

"루이제! 너도 무사했구나!"

요한과 올리비아가 루이제 곁으로 달려왔다.

"요한…… 올리비아…… 너희도 살아 있었나."

"그래. 블리체 학급이 도와줘서 어떻게든 살아났어……."

블리체 학급의 도움을 받은 듯한 다른 학급 학생들이 한편에 모여 있었다.

살펴보니 가트, 웨인, 래드도 있었다.

"우리가 한 게 아니야……. 우리 탓이 아니야……. 우리는 그저……."

아무래도 아주 무서운 일을 당한 것 같았다. 가트 일행은 머리를 싸매고 웅크린 채 뭐라고 중얼거리고 있었다.

그런 가트 일행을 내버려 두고서 앨빈은 척척 지시를 내렸다.

"야영지에 남아 있는 학생은 이제 없지?! 점호는 끝냈어?!"

"그래, 확인했어! 부상자가 많지만, 다들 어떻게든 무사해!"

"알겠어!"

앨빈은 이 합숙의 책임자인 각 학급의 교관 기사…… 크라이스, 마리에, 자크 곁으로 빠르게 달려갔다.

"교관님, 전원 모였습니다! 어서 문을 열어 주세요! 물질계로 귀환하죠!"

이 「문」을 열려면 열쇠 세 개가 필요했고, 그건 전통 3학급의 교관 기사가 가지고 있었다.

"어서! 곧 있으면 이곳에도 요마들이 올 겁니다!"

앨빈이 숲 쪽을 경계하며 그렇게 재촉했지만.

"모, 못…… 돌아가……."

크라이스가 새파랗게 질려서 중얼거렸다.

"네?!"

"문이 안 열려……! 누군가가…… 부쉈어……."

살펴보니 환상 열석 유적의 중앙 비석이 부서져 있었다. 부서진 지는 얼마 안 되어 보였다. 바로 얼마 전에 부서졌다.

"우리는…… 여기서 나갈 수 없어……!"

"뭐, 뭐라고요?!"

앨빈이 아연실색했을 때였다.

쾅!

인접한 호수 쪽에서 무시무시한 소리가 들렸다.

일동이 일제히 호수 쪽을 돌아보았다.

그러자 누군가가 호면 위에서 격렬히 싸우고 있는 것이
보였다.

터무니없이 거대한 달 아래에서.

두 기사가 마치 단단한 지면에서 싸우듯 수면을 달리며
격렬하게 맞부딪치고 있었다.

"저, 저건……."

"……시드 경……?!"

―――――.

"하아아아아아아앗―!"

첨버버벙!

엄청난 속도로 수면을 종횡무진 달리며 올빼미 경이 시
드에게 공격을 퍼부었다.

상단에서 베어 들어가고, 하단에서 베어 올리고, 회전하
여 베어 넘겼다.

그 모든 것이 진공을 자르는 듯한 신속한 맹공이었다.

"―윽!"

폭풍 같은 그 공격들을 시드는— 맞지 않았다.

몸을 돌리고, 젖히고, 뒤로 물러나서— 종이 한 장 차이로 계속 피했다.

"하! 피하기만 하는 건가?! 덤벼, 시드……!"

올빼미 경이 갑자기 수면을 박차 물을 튀겼다.

촤악!

시드의 시야를 완전히 가리듯 거대한 물기둥이 생겼고—.

"죽어라아아아아아아아아아아아아아아—!"

그 물기둥을 시드와 함께 상하로 양단하기 위해 올빼미 경이 횡으로 검을 휘둘렀다.

물기둥이 갈라지며 성대하게 물보라가 튀었다.

하지만 그 너머에 시드의 모습은 없었고—.

전광이— 밤의 어둠을 갈랐다.

낙뢰 소리와 함께 호면에 번개 선로가 생겼고, 시드가 한 줄기 빛이 되어 그 위를 달렸다.

시드의 【신뢰각】이었다.

섬광이 된 시드가 호면 위에서 번개 같은 속도로 두세 번 반전했다.

순식간에 올빼미 경의 뒤로 이동하여 그 기세를 몰아— 관수로 찌르려 했다.

"……."

하지만 올빼미 경은— 피하지 않았다.

포기했는지, 아니면 반응할 수 없는지.

그대로 미동도 하지 않고 우두커니 서서 시드의 공격을 받았다.

이윽고— 벼락같이 돌진한 시드의 공격이 가차 없이 올빼미 경의 등을—.

—꿰뚫지 못했다.

번개가 넘실대는 시드의 팔은 확실히 올빼미 경에게 명중했으나— 그 무시무시한 위력을 전혀 발휘하지 못했다.

툭, 하고. 가볍게 손으로 찌른 듯한 일격이 되어 버렸다.

"……가벼운데?"

올빼미 경이 웃었다.

"잊어버렸어? 이게 내 요정검의 힘……. 나는 주변 일대의 중력과 중량을 자유자재로 조종할 수 있어."

"……!"

"즉, 내게 접촉한 온갖 「힘의 강약」을 나는 마음대로 지배할 수 있어. 네 공격의 위력을 극한까지 「가볍게」 만들 수 있어."

시드가 눈을 찌푸렸고, 올빼미 경이 그런 시드를 슬쩍

돌아보고서 계속 말했다.

"너의 일격이 얼마나 대단한 위력을 지녔든지 간에 나한테는 깃털로 때린 것과 같아⋯⋯. 그리고 반대로―."

올빼미 경이 몸을 돌리며 검을 대충 휘둘렀다.

시드는 순간적으로 몸을 움직여 그 자리에서 이탈했다.

하지만 올빼미 경의 칼끝이 시드의 흉부를 아주 살짝 스쳤다.

정말 살짝 스쳤다.

그저 살짝 스쳤을 뿐일 텐데.

왈칵!

시드의 흉부에 성대한 상흔이 새겨지며 피가 뿌려졌다.

시드의 몸이 마치 걷어차인 공처럼 수면을 날아갔다.

"내 공격은 극한까지 「무겁게」 만들 수 있지! 알겠어?! 야만적인 너는 나를 이길 수 없다고⋯⋯! 크크크⋯⋯ 하하하하하하하하하하하―!"

떠들썩한 웃음소리가 호수에 메아리치는 가운데.

날아간 시드의 몸이 마치 물수제비를 뜨듯 몇 번씩 수면에 바운드되어―.

쾅!

호숫가에서 마른침을 삼키며 지켜보던 학생들 곁으로 굴러왔다.

"시, 시드 경?!"

"괘, 괜찮은 거야?!"

블리체 학급의 면면이 황급히 시드에게 모여들었다.

"미, 믿을 수 없어요……. 저 암흑기사, 스승님의 공격을 맞고서도 상처 하나 없어요…….''

"그뿐만이 아니야! 교관님에게 이렇게나 대미지를 주다니……?!"

"가, 가만히 움직이지 말아 주세요, 교관님! 치유의 꽃을 피울게요……!"

그런 학생들에게.

"……안 돼. 물러나 있어."

시드가 드물게도 표정을 굳히고서 일어나 앞으로 나갔다.

뚝뚝! 후드득……!

깊이 베인 시드의 흉부에서 방울져 떨어진 피가 땅을 두드렸다.

그 대미지는 지대한지 시드는 보기 드물게도 다리를 후들거리며 거친 숨을 내쉬고 있었다.

그런 일동 곁으로—.

"흥. 대기도를 쓸 필요도 없겠어. 이미 결판 났다. 역시 내가 너보다 더 위야.''

암흑기사— 올빼미 경이 유유히 수면을 걸어왔다.

일동이 올빼미 경과 지척에서 대치한 순간…….

"……무슨…….."

"……으…… 아……?"

다른 학급 학생들은 물론이고 블리체 학급 학생들, 심지어 각 학급의 교관 기사들마저 덜덜 떨며 경직됐다.

가까이서 보니 올빼미 경의 강대한 존재감을 확실히 알 수 있었다.

대치했을 뿐인데 자신의 혼이 납작하게 짓눌리는 것 같은 위압감. 장절한 어둠의 마나압. 눈앞이 아찔해지는 깊은 어둠.

"아…… 아아……."

그곳에 있는 모두가 혼으로 이해했다.

이 암흑기사는— **너무 강하다.**

자신들과 같은 인간이라는 생각이 안 들었다. 자신들과는 격이 다르다. 수준이 다르다.

힘도, 기술도, 검도, 마나도.

전부 규격을 벗어났고, 압도적이고, 절대적이고, 차원이 다르다.

그건 마치—

"시드 경……? 시드 경과 같아……?"

이 암흑기사는 사악한 존재지만…… 그 힘의 성질은 전

설 시대의 기사인 시드와 비슷한 것 같았다.

　그 기운을 맞은 대부분의 인간이 암흑기사를 본 순간 덜덜 떨며 무릎을 꿇고 전의를 상실했다.

　"……아…… 아아아……."

　루이제, 요한, 올리비아 같은 실력파 학생들은 물론이고, 교관 기사들조차 아연히 검을 떨어뜨렸다.

　다만…….

　"……윽!"

　"후우……! 후우—! 후우……!"

　"……칫……."

　앨빈과 텐코를 선두로 크리스토퍼, 일레인, 리네트, 세오도르…… 블리체 학급 학생들만이 간신히 두 발로 서서, 과호흡 기미를 보이며 떨면서도 자세를 무너뜨리지 않았다.

　"……호오? 이 정도 마나압에 무력해지는 녀석들뿐인 줄 알았는데, 이 시대에도 그럭저럭 기개 있는 자가 있군."

　이윽고 일동 앞에 선 암흑기사— 올빼미 경이 의미심장하게 웃었다.

　"너, 너는 대체 누구냐……?!"

　칼끝을 떨면서 앨빈이 물었다.

　"마, 맞아요……! 다, 당신은 뭐죠……?! 스승님을 이렇게나 압도하다니……! 대체 정체가 뭔가요……?!"

　텐코도 덜덜 떨며 그렇게 추궁했다.

그러자.

"흠. 이제 딱히 숨길 의미도 없지. 기사의 예에 따라 이름을 밝히기로 할까."

올빼미 경은 갑자기 올빼미 투구를…… 벗어 버렸다.

덜그럭…… 호숫가에 투구가 굴러갔다.

그 투구에 가려져 있었던 얼굴이 드러났다.

시드 또래의 청년이었다.

파란 머리와 파란 눈. 그 말투대로 사나운, 얼음 같은 미모가 인상적인 청년이었다.

당연히 학생들은 처음 보는 얼굴이었지만—.

"내 이름은 리피스. 리피스 오르토르다."

그 청년이 밝힌 이름만큼은 들은 적이 있었다.

"……어? **리피스**……."

"**오르토르**……?"

캘바니아 왕국에는 《3대 기사》의 전설이 있다.

캘바니아 왕가의 시조, 성왕 아르슬에게 충성을 맹세하고 평생 성왕을 위해 싸웠던, 시작의 3기사라고 불리는 세 영웅.

그 세 기사가 바로 현 캘바니아 요정기사단의 원조가 된 기사들이었고, 현 3대 공작가의 시조가 된 자들이었다.

그들 모두 당대에 견줄 자가 없다고 평가받은 무쌍의 기

사였고,「전설 시대 최강의 기사는 누구였는가?」라는 의제
에 시드 블리체와 함께 반드시 거론되는 자들이었다.

바로—.

《홍련의 사자》로거스 뒤란데.

《벽안의 일각수》루크 앤서로.

그리고—.

《푸른 올빼미》리피스 오르토르.

"거짓말……! 네가 그 리피스 오르토르라고……?!"

경악한 앨빈이 올빼미 경— 리피스를 바라보았다.

"말도 안 돼! 네가 리피스 경일 리 없어……! 리피스 경
은 전설 시대에 살던 기사야……! 어째서 이 시대에 있
는 건데……?! 애초에 《3대 기사》는 내 선조님…… 성왕
아르슬을 섬겼던 기사 중의 기사일 터……. 그런데 너는
암흑기사잖아……!"

"하, 하지만 앨빈…… 스승님보다 뛰어난 저 무력은……
확실히 전설 시대의……."

당황한 앨빈에게 텐코가 떨리는 목소리로 답했다.

당연히 그곳에 있는 누구도 그런 이야기는 믿지 못했다.
믿을 수 있을 리가 없었다.

하지만—.

"……."

시드는 아무런 반론도 하지 않았고.

그리고 리피스라고 이름을 밝힌 남자는 전설 시대의 기사인 시드를 압도하는 파격적인 무력을 가지고 있었다.

터무니없는 허언이라고 단정하기에는 부정할 재료가 너무 적었다.

"흥. 너희가 믿든 말든 상관없어."

리피스가 콧방귀를 뀌고 일동을 흘겨보았다.

"나는 시드 블리체를 죽이러 왔다. 방해한다면 너희부터 없애 주마……!"

"으, 으……?!"

어마어마한 살기가 퍼부어져서 학생들이 움직이지 못하고 있으니.

"왜지? 리피스. 왜…… 이런 짓을 하는 거야?"

시드가 그런 학생들을 감싸듯 앞으로 나와서 말했다.

"너는…… 그 녀석…… 성왕 아르슬에 대한 충성심이 두터운 기사 중의 기사였어. 검술 실력이 뛰어난 건 물론이고, 왕국에서 가장 명민하여, 타국이 침공했을 때는 너의 지략이 몇 번이나 나라를 구했어. 문무를 겸비한— 그야말로 이상적인 기사인 너를 나는…… 언제나 존경했어. 그런데…… 왜? 왜 이런 짓을 하지?"

"당연한 것 아닌가? 너의 기사로서의 모든 것을 부정하기 위해서다."

크크큭, 하고 낮게 웃으며 리피스가 대답했다.

"네 말이 맞아. 나야말로 왕국에서 가장 뛰어난 기사였어. 그분 곁에…… 성왕 곁에 있어야 할 기사였어……! 그런데…… 너만 항상 부당하게 과대평가 받았어……! 그분에게 가장 신뢰받았어……!"

"리피스……."

"왜지? 이상하잖아? 너 같은 남자가 왜?! 나를 제치고 그분의 필두 기사 자리에 앉았던 거야?! 네놈 같은—《야만인》이!"

리피스가 굳어 있는 학생들을 둘러보며 말했다.

"당연히 너희도 알고 있겠지! 지금도 전해져 내려오고 있을 거야!《야만인》시드의 전설이……!"

"무슨……."

"무자비하며 잔인무도…… 내키는 대로 싸우며 사람들을 죽인 악랄한 《야만인》…… 끝내는 성왕이 그 죄를 물어 죽였지……. 말해 두는데, 그건 과장도 아니고 날조도 아니야……! 사실이야! 전부 사실이야……!"

어안이 벙벙해진 학생들을 무시하고 리피스가 다시 시드를 노려보았다.

"그래…… 너는 결국 기사라고 할 수 없는 기사야……! 그런데도 너는 부당하게 성왕의 총애를 받았고…… 심지어 성왕을 배신했어! 그렇게나 성은을 입어 놓고서…… 최종적으로 동료를, 백성을…… 이 나라를 배신했어……! 내가 있었는데도…… 그분이 커다란 고통을 겪게 하고 말았어……!"

"……그게 무슨……."

리피스가 잇따라 밝히는 충격적인 사실을 앨빈과 텐코는 이제 쫓아갈 수가 없었다.

두 사람이 매달리듯 시드를 바라보아도…….

"……."

시드는— 말이 없었다.

하지만 그건 무엇보다도 확실한 긍정의 침묵이었다.

"거, 거짓말…… 시드 경이…… 설마, 그런……?"

지금까지 시드와 접하면서 앨빈과 텐코의 마음속에 만들어진 시드상이 있었다.

과연 그건 진짜일까 가짜일까…… 흔들리고 불확실해졌다.

학생들이 그러든 말든 리피스는 계속 말했다.

"시드…… 너라는 존재가 내 기사의 긍지에 얼마나 흠집을 냈는지…… 너 같은 악랄한 남자가…… 미천한 《야만인》이 알긴 할까?! 알 리가 없겠지!"

"네가 나를 원망한다는 건 알겠어."

시드가 감정을 읽을 수 없는 표정과 음색으로 대답했다.

"하지만 이해할 수 없어. 그렇다면 나만 죽이면 되잖아? 나는 나의 과거로부터 절대 도망치지 않아. 그걸 규탄하겠다면 언제든 받아 주겠어. 하지만 학생들은…… 이 시대의 미래를 짊어져야 할 젊은 기사들과는 상관없는 일이잖아? 왜 끌어들였지?"

"크크크…… 말했을 텐데……. 너의 기사로서의 모든 것을 부정해 주겠다고 말이야."

리피스가 살벌하게 웃었다.

"이곳은 요정계 9층……. 요정검의 고향인 《검의 호수》가 있기에 결계를 쳐서 안전이 확보되어 있었지만…… 그건 호수 주위에 있던 결계비석 스물일곱 개와 호수 중앙 사당의 결계검을 전부 부숴서 파괴했어. 결계가 파괴된 지금, 이 시대의 빈약한 기사들의 역량으로는 버거울 강대한 요마가 곧 이곳에 밀어닥치겠지……. 이미 퇴로도 막았어."

리피스가 환상 열석 유적의 부서진 비석을 가리켰다.

"자, 그야말로 기사 중의 기사처럼 굴고 있는 시드…… 어쩔 거지? 기사 행세를 하는 너라면…… 당연히 기사로서 지켜 주겠지……? 이 시대의 미래를 짊어진 기사 지망생들을 말이야."

"……."

"가면을 벗겨 주겠어. 시드…… 너는 겉모습만큼은 기사인 척 위장하고 있지만 본질은 결국 무자비하고 잔인무도한 전투광—《야만인》이야. 끊임없는 투쟁과 살육에 빠져 살며, 더 많이 죽이기 위해, 다음 싸움을 위해 계속 죽이고 살아남은 네가…… 극한 상태에서 자신을 제쳐 놓고 누군가를 지키려고 할 리 없어. 반드시 너는 버릴 거야⋯⋯. 약자를 내버리 거야. 그 무렵처럼⋯⋯《야만인》이었을 때처럼⋯⋯!"

"⋯⋯."

"기사에서 단순한 《야만인》으로 전락한 너를 내 손으로 죽임으로써⋯⋯ 주벌함으로써⋯⋯ 나는 마침내 너 때문에 흠집이 난 기사의 긍지를 되찾을 수 있어⋯⋯! 하하하하⋯⋯ 아하하하하하하하하하하하하하하—!"

다들 놀라서 굳어 있는 와중에 한바탕 웃더니.

갑자기 리피스가 검을 검집에 넣었다.

"자, 그럼⋯⋯ 오래간만의 대면은 여기까지다."

"⋯⋯."

"얼마 후에 다시 만나자, 시드. 서로 기사의 긍지를 걸고서 결판을 내자고. ⋯⋯너에게 긍지가 남아 있다면 말이야. 크크크⋯⋯."

그렇게 일방적으로 말을 내뱉고.

리피스의 몸에서 검은 안개가 솟아났다.

피어오른 검은 안개는 어두운 밤중에 리피스의 몸을 덮어 나갔고⋯⋯.

이윽고 리피스의 모습은 그 어둠 속에 녹아들듯 사라졌다.

웅성, 웅성, 웅성⋯⋯ 학생들은 동요와 곤혹에 흔들렸다.

"⋯⋯."

시드는 그저 말없이 리피스가 사라진 공간을 응시했고⋯⋯.

"……시, 시드 경……."

앨빈은 그런 시드의 어딘가 쓸쓸해 보이는 뒷모습을 바라볼 수밖에 없었다…….

제6장 궁지의 소재

　그리고 잠들 수 없는 밤이 지났다. 긴긴밤이 지났다.

　서로 의지하듯 옹기종기 모인 야영지 주변에는 짙은 안개가 유령처럼 감돌고 있었다.

　추웠다. 비정상적인 추위였다.

　이것도 【결계】가 사라진 폐해인지, 날은 진즉에 밝았는데도 짙은 안개에 햇빛이 막혀서 저녁처럼 어두웠다.

　바로 전날까지 화창한 봄날 같았던 경치와 기후가 거짓말처럼 달라졌다.

　호수도, 숲도, 하늘도.

　마치 뭔가를 두려워하듯 섬뜩하게 고요했다.

　그런 와중에―.

　『……상황이 안 좋네요…….』

　블리체 학급을 필두로 많은 학생이 지켜보는 가운데, 시드와 앨빈, 텐코는 호면에 투영된 이자벨라와 대화하고 있었다.

　물론 이 이자벨라는 실체가 아니라 환영이었다.

　학생들은 요정계 《검의 호수》 층에 갇혀서 외부와 연락도 못 하여 막막한 상황이었지만.

어떤 수단으로 이상을 감지한 이자벨라가 마법으로 연락해 온 것이다.

『그나저나 리피스 오르토르…… 시드 경과 같은 전설 시대의 기사가 암흑기사로서 나타나다니…… 대체 왜……?』

"……글쎄. 나도 전혀 짐작이 안 가."

"……."

솔직히 앨빈은 어젯밤의 상황을 보고 시드가 뭔가를 알고 있음을 직감했다.

하지만 어째선지 시드는 아무런 말도 해 주지 않았고, 어차피 리피스에 관한 의문이나 정체를 추리하고 있을 때도 아니었다.

지금 중요한 것은 다가올 위협— 이 심층의 요마와 리피스를 상대할 대책이었다.

"이자벨라. 이쪽에서 그쪽 세계로 귀환하는【요정의 길】의 문이 부서져 버렸는데…… 그쪽에서 다시 접속할 수 없어?"

『어려워요. 원래부터 상당히 특수한 수단으로 연결한 길이었어요. 절대 불가능한 건 아니지만…… 시간이 오래 걸려요.』

"얼마나?"

『……빨라도 2주 정도는…….』

"그럼 너무 늦어……."

앨빈은 호면에 투영된 이자벨라 쪽으로 얼굴을 숙이고 힘없이 신음했다.

"우리의 힘으로는 이런 심층의 요마를 상대로 일주일도 못 버텨……."

"한두 마리면 몰라도, 심층의 요마들과 지속적으로 싸우다 보면 순식간에 전멸하겠죠……."

텐코도 이를 갈 수밖에 없었다.

"그동안 우리는 계속 시드 경에게 보호받아야만 하는 거야……?"

"그, 그거야말로 그 무시무시한 리피스 경의 생각대로 되는 거예요……."

『죄송합니다…… 하지만 이것만큼은 어쩔 수가 없어요…….』

이자벨라도 분한 듯 이를 갈았다.

"어쩌지, 이자벨라…… 텐코…….'

『……..』

불안해하는 앨빈에게 이자벨라도 텐코도 심각한 얼굴로 아무 말도 못 하고 있으니.

"간단한 일이야, 앨빈."

시드가 웃으며 말했다.

그리고 시드는 눈을 깜빡이는 앨빈 앞에 서더니…….

"시, 시드 경?!"

앨빈에게 부복하듯 무릎을 꿇었다.

"가, 갑자기 왜 그래요?!"

당황하는 앨빈에게 시드는 머리를 조아린 채 조용히 아뢰었다.

"이번에 주군과 동료들을 위험에 빠뜨린 책임은 의심할 나위 없이 전부 제게 있습니다."

"……!"

"스, 스승님?!"

앨빈은 물론이고 그 모습을 보고 있던 텐코와 다른 많은 이의 눈이 휘둥그레졌다.

"옥체를 지키는 기사이면서, 제 불미한 과거 때문에 옥체를 위험에 빠뜨린 부덕함이 그저 부끄러울 따름입니다. 그러니— 만회할 기회를 주셨으면 합니다."

"그, 그건…… 시드 경 탓이……."

"그저 모든 것을 지키라고 왕명을 내려 주십시오."

"……!"

"그리하면 저는 기사의 긍지를 걸고서 명령을 완수할 것입니다."

"……."

앨빈은 입을 다물었다.

확실히 이번 일은 시드를 노리고 벌어졌다.

학생들은 거기에 휘말렸을 뿐이다.

그렇기에— 시드는 책임을 느끼고 있을 것이다.

"……."

앨빈은 시드를 전폭적으로 믿는 주군이므로 그런 시드의 바람에 부응해야 했다.

그것이 설령 시드를 지옥으로 떨어뜨리는 명령이더라도.

리피스의 의도대로 되는 것이어도.

그 명령을 내리지 않는다면 시드는 앨빈의 기사가 아니게 되고, 앨빈은 시드의 주군일 자격을 잃는다.

"……알았다."

앨빈은 괴로운 표정으로 결단했다.

"시드 경! 왕명이다! 우리를 지켜라!"

"명 받들겠습니다, 나의 주군. ……고마워."

씁쓸하게 고개를 숙인 앨빈에게 공손히 인사하고서.

시드가 씩 웃고 뚜둑뚜둑 소리를 내며 손을 풀기 시작했다.

"……그렇게 됐으니 당장 일하기로 할까. 이 임시 야영장에 조금 강한 요마가 한 마리 다가오고 있어."

시드가 그렇게 말한 순간.

『키에에에에에에에에에에엥—!』

정체 모를 울림을 지닌 울음소리가 하늘에서 내려왔다.

뇌를 직접 휘젓는 것 같은 끔찍한 울음소리에 모든 학생이 귀를 막고 웅크렸다.

"……다녀올게."

그렇게 말하고서 지면을 박차고.

시드는 질풍처럼 떠났다.

그런 시드의 등에 대고 앨빈이 외쳤다.

"잠깐만요! 시드 경!"

시드가 발을 멈췄다.

"당신은 아무것도 이야기해 주지 않아요! 전설 시대에 당신에게 대체 무슨 일이 있었는지 저는 몰라요! 리피스 경의 말이 진실인지 거짓인지…… 저는 모르겠어요……!"

"……."

"그래도— 저는 당신을 믿어요!"

"……!"

그런 앨빈의 말에 시드의 눈이 살짝 가늘어졌다.

"그러니까…… 부디 죽지 말아요! 부탁할게요!"

"과분한 말씀이야."

그렇게 나직이 중얼거리고서.

시드는 이번에야말로 멈추지 않고 달려갔다.

———.

이리하여.

리피스의 의도대로 시드의 고독한 싸움이 시작되었다.

심층의 요마들은 밤낮을 가리지 않고 습격해 왔다.

금강석 같은 외골격과 대지를 울리는 거대한 몸을 가진 거북이 요마 베히모스. 토벌 평가점 255점……

죽음의 시선과 독 숨결로 주변을 사멸시키는 무시무시한 하마 요마 카토블레파스. 토벌 평가점 280점……

사나운 화염을 조종하는 거대한 새 요마 피닉스. 토벌 평가점 230점……

폭풍을 휘감은 거대한 뱀 요마 칸헬. 토벌 평가점 235점……

학생들은 도저히 감당할 수 없는, 상상을 초월하는 심층의 요마들이 잇따라 임시 야영장을 습격해 왔다.

시드는 그 모든 요마와 계속 싸웠다.

한 발짝도 물러나지 않고 모든 학생을 지키기 위해 계속 싸웠다.

닥치는 대로 요마들을 격파하며 학생들을 계속 지켰다.

―――――.

다가왔다.

대지를 명동시키며 강대한 맹위가 다가왔다.

매드보어― 푸른 불꽃을 휘감은 거대한 멧돼지 요마.

그 돌진에 압사하지 않을 자는 없었다.

"으, 으아아아아아아?!"

"히이이이이이익?!"

"나타났다아아아아아아아—!"

숲속에서 나무들을 쓰러뜨리며 야영지를 향해 돌진해 오는 요마를 보고 학생들이 겁에 질려 떨었다.

하지만—.

서걱!

전광과 함께 달려온 시드가 매드보어 옆을 스쳐 지나가며 손날로 벴다.

목이 날아간 매드보어는 곧장 마나 입자로 부서져서 소멸했다.

하지만 그 돌진의 기세는 완전히 죽지 않아서 매드보어의 거구에 치인 시드가 날아갔다.

시드의 몸은 몇 번이나 지면에 부딪치며 바운드되었다.

"……."

하지만 시드는 아무 일도 없었던 것처럼 일어나 목을 풀었다.

그리고 다음 요마 습격에 대비해 숨을 골랐다.

—————.

"으아아아아아아아아아아아아―?! 나타났다아아아아!"
"살려 줘어어어어어어어―!"

산처럼 거대한 게 요마 데스시저가 하늘까지 솟구치는 물기둥을 일으키며 호수 속에서 나타났다.

둔중해 보이는 거구에 어울리지 않는 무시무시한 기동력과 민첩성으로 거대한 좌우의 집게를 치켜들고서 학생들에게 달려들었고―.

무수한 학생의 몸이 상하로 잘리려던 순간.

전광이 번쩍였다.

달려온 시드의 손날이 거대 게의 좌우 집게를 순식간에 베고 다리를 몇 개 잘랐다.

하지만 학생들을 지키기 위해 무리한 자세로 끼어든 탓에, 단말마의 비명을 지르며 데굴거리는 게의 거구를 피하지 못해서―.

"―윽!"

시드가 하늘 높이 튕겨 날아갔고― 이윽고 중력에 따라 호수에 낙하.

빨간 피가 섞인 물기둥을 일으켰다.

"……."

하지만 시드는 말없이 호숫가까지 헤엄쳐 와서 일어났다.

그리고 다음 요마 습격에 대비해 숨을 골랐다.

————.

——.

해치우고.

해치우고.

해치우고. 해치우고. 해치우고.

해치우고. 해치우고. 해치우고. 해치우고. 해치우고.

시드가 요마를 계속 해치웠다.

낮이고 밤이고, 한숨도 자지 않고 담담히 계속 해치웠다.

싸움의 충격음은 온종일 울려 퍼지며 끊어질 줄을 몰랐다.

시드는 전혀 우는소리를 하지 않았다.

누구에게도 생색을 내지 않았다.

그저 그것이 자신이 해야 할 일이니까.

그렇게 말하듯 계속 싸웠다.

만신창이가 되어 가며 계속 싸웠다.

학생들은 그런 시드의 뒷모습을 지켜볼 수밖에 없었다.

"스, 스승님……."

"젠장…… 우리는 왜 이렇게 무력한 거야……."

앨빈 일행은 안타까운 심정으로 그저 시드를 바라볼 수밖에 없었다.

―――――.

하루.

또 하루.

그런 나날이 무섭도록 천천히 흘러가는 가운데.

"하! 당연한 거야!"

어느 날, 가트가 웃었다.

"애, 애초에, 우리가 노려진 건 저 녀석 탓이잖아?! 우리는 저 녀석 일에 휘말렸을 뿐이잖아?! 그러니까 저 녀석이 싸우는 건 당연한 거 아니야?! 안 그래?!"

가트가 주위에서 시드의 싸움을 지켜보는 학생들에게 동의를 구하듯 말했다.

학생들의 시선 끝에서는―.

존재하는 것만으로도 주위를 냉기 지옥으로 만드는 늑대 요마― 펜리르가 시드와 싸우고 있었다.

펜리르의 체구는 사자보다 한층 큰 정도였다. 시드가 지금까지 싸웠던 거대 요마와 비교하면 그리 크지도 않았다.

하지만 그 백은색 모피의 강인함은 강철을 아득히 넘어

섰고, 전신에서 뿌리는 냉기는 보통 사람이라면 마시기만 해도 폐가 완전히 얼어붙을 정도였다.

무엇보다 그 민첩성과 사나움은 키리무와 비교도 되지 않았다.

토벌 평가점 355점— 그런 위험한 늑대 요마를 상대로 시드가 홀로 싸웠다.

휘몰아치는 극한의 눈보라 속에 몸을 숨기며, 상궤를 벗어난 다른 차원의 속도로 사방팔방에서 시드에게 얼음 발톱과 얼음 이빨을 박으려 드는 펜리르.

그것을 시드는 담담히 몸을 놀려 대처했다.

연전이 계속되어 피로와 손상이 축적되었는지라 역시 완벽히 피할 수는 없었다. 펜리르의 발톱과 이빨이 순식간에 시드의 온몸에 박혔다.

흩날리는 피가 얼어붙었다.

하지만 시드는 버티고, 버티고, 버텨서—

이윽고 펜리르가 찰나의 빈틈을 보인 순간, 벼락같은 속도로 손날을 휘둘러— 그 목을 날려 버렸다.

—그런 시드의 승리를 멀리서 지켜본 학생들이 안도하는 가운데.

"나 참, 전설 시대의 기사면서 쩔쩔매지 말라고! 좀 더 재까닥 해치우란 말이야! 우리한테 위해가 미치면 어쩔 거야?!"

뒤란데 학급의 학생— 가트는 계속해서 욕했다.

가트의 떨거지인 웨인과 래드도 그 말에 동의했다.

"그러니까 말이야! 우리한테 성대하게 폐를 끼쳤으니 그 정도는 당연히 해야지!"

"맞아요! 맞아요! 이래서 《야만인》은 안 된다니까요. 안 그래요?!"

그러자.

"그, 그렇지…… 애초에 저 녀석 탓이니까……."

"우리는 휘말렸을 뿐이고……."

놀랍게도 가트에게 동조하는 학생들이 조금씩 나타나기 시작했다.

"좀 더 확실히 우리를 지켜 달라고……!"

"그러고도 기사야……?! 전설 시대 최강의 기사냔 말이 야……!"

다들 앞이 보이지 않는 상황에 극도로 불안해져 있었다.

시드가 직전에 막아 주고는 있지만, 상궤를 벗어난 요마의 위협에 계속 노출되어 있기에 정신적으로도 한계였다.

그 스트레스는 아무래도 시드에게 풀게 되었다.

"애초에 처음부터 수상한 녀석이라고 생각했어……!"

"맞아, 그 악명 높은 《야만인》이잖아……!"

"보나 마나 리피스 경이 격노할 만한 악행을 저지른 거 겠지……!"

"그렇다면 진짜로 민폐야!"

그렇게 불평불만을 늘어놓는 학생들을 보고.

"이, 이 녀석들……!"

"용서 못 해요!"

크리스토퍼와 일레인이 격노했다.

"내버려 둬. ……일단 녀석들의 말도 이해는 가니까."

그렇게 말하는 세오도르도 말과는 반대로 눈이 전혀 웃고 있지 않았다.

"으~~!"

얌전한 리네트조차 다른 학급의 비방을 견딜 수 없다는 듯 눈을 질끈 감고서 부들부들 떨고 있었다.

하지만 집단에는 분위기와 흐름이란 게 있다.

집단의 분위기가 일단 시드를 비난하는 흐름으로 바뀌니, 그 뒤로는 비탈을 굴러 내려가는 것과 같았다.

시드를 나쁘게 말하는 것이 집단의 정의가 되어 다들 시드를 욕하며 뜻을 통일하고 기묘한 일체감과 함께 단결해 나갔다.

이제 그 흐름은 막을 수 없었다.

"말리지 마세요, 앨빈."

별안간 텐코가 욱한 얼굴로 일어났다.

"더는 못 참겠어요……!"

텐코가 송곳니를 드러내며, 시드를 욕하는 학생들에게

가려고 한…….

……바로 그때였다.

"다들 작작 좀 해!!!!"

한 소녀의 노성이 학생들을 침묵시켰다.

놀랍게도 그렇게 고함친 사람은— 루이제였다.

"이, 이봐…… 루이제…….”

"가, 갑자기 뭘 그렇게 화를 내…….”

"너무 한심하니까 그렇지! 너희도! 물론 나 자신도!!!"

루이제가 사납게 외쳤다.

그 두 눈에는— 분함의 눈물이 맺혀 있었다.

"확실히 적이 노리는 건 시드 경이야! 우리는 거기에 휘말렸을 뿐일지도 몰라! 그래도 시드 경은 우리를 위해 싸워 주고 있어! 시드 경의 전투 능력이라면 혼자 살아남는 건 쉬운 일 거야! 냉큼 우리를 버리고서 힘을 온존해 두면 그만이야! 하지만 시드 경은 우리를 버리지 않았어! 저렇게 만신창이가 되며 우리를 위해 싸워 주고 있어! 낮이고! 밤이고! 한숨도 자지 않고! 설령 그게 책임이더라도, 어중간한 각오로 할 수 있는 일이 아니잖아?! 저 모습을 보고서! 저 등을 보고서! 너희는 아무것도 못 느껴?! 아무런 감명도 못 받아?! 《야만인》은 무슨! 저 모습이야말로 진정한 기사의 모습이잖아?!"

"시, 시끄러워, 닥쳐!!!!"

그러자 가트가 어째선지 발끈해서 루이제의 멱살을 잡고 되받아쳤다.

"그래도 결국 저 녀석 탓이잖아?! 저 녀석 때문에 우리가 이런 일을 겪고 있는 거잖아?! 그렇다면 당연히 우리를 지켜 줘야지!"

"그래, 그렇겠지!"

루이제가 질 수 없다는 듯 가트를 노려보며 외쳤다.

"만약 우리가 검이 없는 **무력한 백성**이었다면 말이야! 하지만— **우리는 기사**야!"

루이제의 그 말은.

""""""~~~!""""""

그 자리에 있던 모든 학생의 마음을 깊이 후벼 팠다.

"서로의 얼굴을 봐 봐. 이게, 지금 우리의 이 모습이……
기사야? 안전한 곳에서 그저 일방적으로 보호받고, 모두를 지키기 위해 싸우는 한 남자에게 불평불만을 늘어놓으며 방관할 뿐인 우리가…… 진짜 기사야?"

"……."

"우리는 보호받는 백성이 아니야. 백성을 지키는 기사야! 그런데 나 자신이 무력한 건 생각 안 하고, 본인을 희생해서 우리를 지켜 주는 시드 경을 욕하다니…… 기사로서 부끄럽지 않아?!"

"……윽?!"

"나는 부끄러워! 약한 자신이! 아무것도 못 하는 자신이!!!"

그런 루이제의 외침을 듣고.

모든 학생이 깨달았다.

그랬다.

자신들은 그저— 떳떳하지 못했을 뿐이다.

학생들은 모두 요정검에게 선택받은 기사라는 사실을 자랑스럽게 여겼다.

자신은 평범한 사람과 다른 선택받은 존재…… 그렇기에 특별하고, 특별한 일을 할 수 있는 인간이라고— 그렇게 믿었다.

하지만 이제 그 긍지는 너덜너덜했다. 뛰는 놈 위에 나는 놈이 있었고, 자신들이 얼마나 왜소하고 무력한지만 도드라지게 드러나 버렸다.

근거 없이 비대해진 긍지 따위는 이제 아무런 의미도 가치도 없었다.

그래도 그들의 긍지는 그것을 인정할 수 없었다.

그렇기에— 시드에게 모든 불만과 비난을 돌리고 시드 탓으로 하여 자신들의 얄팍한 긍지를 소중히 지키려고 했을 뿐이다.

―기사의 긍지란 건 뭐야?

―옛 기사의 원칙에 왜 「긍지」에 관한 항목이 없는지 알아?

루이제의 가슴속에서 불현듯 시드의 말이 되살아났다.

지금이라면 왠지 알 것 같았다.

"루이제……."

"너……."

앨빈과 텐코가 눈을 깜빡이며 루이제를 보고 있었다.

설마 오만한 루이제가 이런 말을 꺼낼 줄은 전혀 생각도 못 했다는 얼굴이었다.

그런 앨빈과 텐코를 흘낏 보고서 루이제는 자조적으로 중얼거렸다.

"……알고 있어. ……나는 약해. 시드 경 옆에서 싸우는 건…… 지금의 나한텐 도저히 무리야……. 그런 건 나도 알아……. 그래도 나는 기사야. 기사가 되고 싶어……. 적어도 기사로서 부끄럽지 않은 사람이…… 자랑스러운 내가 되고 싶어……. 뭔가 없을까? 우리가 할 수 있는 일은 아무것도 없는 거야……?!"

""""…………""""

조용히.

블리체 학급 학생들이 입을 다물고 있으니.

"……있을지도 몰라."

갑자기 앨빈이 그런 말을 중얼거려서 다른 학급 학생들의 시선이 일제히 모였다.

"……얘기하려고요? 앨빈."

텐코의 말에 앨빈이 고개를 끄덕였다. 아무래도 블리체 학급 학생들은 무슨 이야기를 할지 이미 아는 것 같았다. 다 안다는 얼굴로 침묵할 뿐이었다.

그런 블리체 학급 학생들을 내버려 두고서 앨빈이 말을 이었다.

"물론 우리가 시드 경을 도와서 같이 싸우는 건 불가능해. 심층의 요마들…… 그리고 시드 경과 같은 전설 시대의 기사 리피스 경. 각오와 용기를 따지기 이전에 단순히 역량이 너무 차이가 나. 우리가 섣불리 가세해 봤자 시드 경의 발목만 잡을 뿐이야. 하지만 우리도 시드 경에게 아주 조금이나마 힘을 보태는 것 정도는 할 수 있을지도 몰라……."

"——?!"

어떻게 힘을 보탤 수 있다는 걸까. 학생들의 시선이 앨빈에게 모였다.

그러자 앨빈이 품에서 뭔가를 꺼냈다.

작은 유리병이었다.

"……그건?"

"만일에 대비해 이자벨라가 준 마법 도구 『자작나무 성유(聖油)^{버치}』야. 이걸 바르면 한동안 악한 요마가 다가오지 않

아. 하지만 효과가 그렇게 오래가진 않아. 기껏해야 몇 시간 정도고…… 양도 한정되어 있어. 여기 있는 모두가 쓸 만한 양은 안 돼."

"그걸 어떻게 쓰려고? 그걸로 요마의 습격을 넘기더라도 임시방편일 뿐이야."

"습격을 넘기는 게 아니야."

앨빈이 성유를 바라보며 말했다.

"이걸 써서 요마를 피하며 어떤 곳에 가는 거야. 그러면…… 시드 경에게 승산이 생길지도 몰라."

무슨 뜻인지 이해하지 못하고 의아해하는 루이제에게 텐코가 이어서 말했다.

"실은…… 우리 블리체 학급은 줄곧 어떤 생각을 하고 있었어요……. 하지만 전력이 부족했어요."

"전력?"

"네. 솔직히 저희 여섯 명만으로는 토벌 평가점 200점인 키리무 한 마리를 격파하는 게 한계예요. ……그 정도 전력으로는 그곳에 가 봤자 소용없어요."

"뭐, 최종적으로는 「모 아니면 도」라는 마음으로 사생결단하여 가 볼 생각이었지만."

크리스토퍼가 머리를 긁적이며 그렇게 덧붙였다.

그리고 앨빈이 다른 학생들을 둘러보며 다시 말했다.

"아무튼…… 만약 우리에게 좀 더 전력이 더해진다면……

더욱 승산이 생겨. 하지만 강요할 순 없어. 확실히 말해서 이 시도는 무모해. 우리도 제 한 몸 건사하는 게 고작이라……어쩌면 누군가 죽을지도 몰라."

말하기 껄끄러워하면서도 앨빈은 의연히 말했다.

"하지만 이것만이 지금 우리가 시드 경을 위해 할 수 있는 유일한 일이야. 그리고 우리가 모두 살아서 돌아가기 위한 유일한 수단이야. 만약 시드 경이 쓰러지면…… 우리도 죽어. 우리 힘만으로는 이자벨라가 우리를 구조하러 올 때까지 이 심층에서 살아남을 수 없어."

앨빈이 지적하자 학생들이 숨을 삼켰다.

그런 일동을 다시금 바라보며 앨빈이 확실하게 선언했다.

"나는…… 다 같이 살아서 돌아가고 싶어. 학급과 파벌은 다르지만…… 같은 나라에 사는 동료잖아. 안 그래?"

그런 앨빈의 진지한 말에.

웅성, 웅성, 웅성, 하고.

학생들이 얼굴을 마주 보며 술렁거렸다.

이윽고.

"어째서…… 너희가 우리보다 훨씬 긍지 높은 기사처럼 보이는지…… 내 열등감의 정체를 알 것 같아."

루이제가 자조적으로 미소 지으며 그렇게 말했다.

"정말로 단순한 거였어. 너무 단순해서…… 어느새 잊어버리고 있었어."

"루이제."

"오기를 부리게 해 줘. 이래 봬도 나는 일단 기사야. 나도 너희의 힘이 되겠어."

그런 루이제의 힘찬 선언에.

"나도…… 나도 협력할게……!"

요한도.

"나, 나도! 이대로 이런 곳에서 죽는 건 사양이니까!"

올리비아도.

"나, 나도……."

"나도……!"

용감한 몇몇 학생이 잇따라 손을 들기 시작했다. 대부분 블리체 학급의 훈련에 참가했던 학생들이었다.

이 막막한 상황을 타개하자고, 경직됐던 분위기가 움직이기 시작했다.

지금은 학급 간의 갈등이나 악연 따위 관계없었다.

그저 하나의 목적을 위해 손을 맞잡은 젊은 기사들의 모습이 거기 있었다.

"다들 고마워."

만감을 품고서 앨빈이 말했다.

그리고—.

————.

서걱!

시드의 참격이 바위산처럼 거대한 비룡^(와이번)의 목을 날렸다.

마나 입자로 부서져져 소멸하는 비룡을 등진 채—.

"헉…… 헉…… 하아…… 하아……."

줄곧 싸움에 몰두해 있던 시드의 의식이 하루 만에 돌아왔다.

싸우기 시작하고 대체 며칠이 지났을까.

대체 자신은 얼마나 많은 요마를 해치웠을까.

'하하하…… 총득점 10만 점 정도는 됐으려나……?'

입가에 주르륵 흐르는 피를 닦고 천천히 숨을 가다듬었다.

그리고 시드는 주변을 둘러보았다.

밤이었다. 밤의 장막이 완전히 내린 한밤중.

울창하게 우거진 숲속.

고개를 드니 나뭇가지로 만들어진 하늘 액자 속에 거대한 달이 보였다.

"……."

고요했다.

희미한 벌레 소리를 제외하면 주변은 섬뜩하리만큼 적막했다.

요마의 기척은— 없다.

막연하게 알 수 있었다.

이 일대의 요마를 거의 다 사냥해 버린 것 같았다.

한동안 새로운 요마가 나타나지는 않을 것이다.

"……그렇다면…… 오늘 밤인가."

그렇게 납득하고.

시드는 숲속을 향해 걷기 시작했다.

걸어가며 시드는 자신의 상태를 확인했다.

이건 뭐, 꼴이 말이 아니었다.

무수한 상처로 온몸이 만신창이였다. 안 아픈 곳이 없었다.

피도 과다 출혈로 죽기 직전까지 흘린 것 같았다. 묘하게 어지럽고 한기가 들었다.

몸이 무거웠다. 이렇게 지쳤던 적이 또 있었을까? 피로는 이미 한계를 넘어서서 정신력으로 간신히 서 있었다.

월 호흡은— 미약했다.

육체보다도 혼의 피로가 한계를 맞이한 상태였다. 평소에는 의식하지 않고도 태울 수 있는 월이 타지 않았다. 마음이 움직이지 않았다. 기진맥진이라는 게 바로 이런 걸 말하는 걸지도 모른다.

그래도…….

저벅, 저벅, 저벅…….

시드는 확실하게 걸어갔다.

'학생들은 무사해. 신경 쓸 여유는 없었지만, 내가 정한 방어선 너머로는 한 마리도 보내지 않았어…….'

지켜 냈다.

자신은 왕명을— 기사의 맹세를 완수했다.

'아니, 아직인가…….'

그래, 아직이다. 자신이 해야 할 일은 아직 남아 있었다.

그렇다면— 끝까지 해낼 따름이다.

그렇게 생각하고서.

시드는 울창한 숲속을 걸어갔다.

————.

이윽고 시드의 시야가 트였다.

숲속에 뻥 뚫린 넓은 공간.

다채로운 꽃이 흐드러지게 핀 들판이었다.

그 들판 중앙에 한 기사가 서 있었다.

리피스였다.

"……여. 리피스. 오랜만이야."

시드가 설핏 미소 지었다.

"……."

"지켜 냈어. 한동안 요마는 안 나타나. 이 틈에 결판을

내자. ……어둠의 심연에서 새로운 요마가 다시 태어나기
전에."

그렇게 말하고 시드가 평온하게 서 있으니.

"……왜지?"

리피스가 지옥 밑바닥에서 울리는 듯한 목소리로 물음을
던졌다.

"왜 《야만인》인 네가 일부러 애송이들을 요마로부터 지
켜 낸 거지? 그렇게 만신창이가 되면서까지…… 왜 본성
을 안 보이는 거야……?!"

건틀릿에서 소리가 날 정도로 리피스가 주먹을 움켜쥐
었다.

"나한테 이길 수 있을 것 같아? 그런 꼴로?"

"뭐, 솔직히 무리일지도 모르지. ……하지만 질 생각은
없어."

"그딴 애송이들, 버렸으면 됐잖아……! 버려서 힘을 온
존했다면 나랑 승부가 됐을 거야……! 그런데 왜……?!"

"나는 기사니까. 이번 생의 주군과 나눈 기사의 맹세를
완수할 따름이야."

시드가 아무렇지도 않게 대답해서.

"……?!"

리피스는 눈을 부릅뜨며 경직됐고…….

"바로 그거야……. 너의 그런 자세가 나를 항상 화나게

해……!"

부들부들 떨며 시드를 노려보았다.

"마음에 안 들어…… 마음에 안 든다고……! 너의 그 태도가……!"

"……"

"너는 항상 그래! 자신이야말로 기사 중의 기사라는 얼굴로…… 성왕과 다른 멍청이들을 감쪽같이 속였어……! 그렇게나 허영이 중요한가?《야만인》……!"

"……"

"그분에게 검을 겨눈 불충한 놈이면서……! 동료를 배신하고 죽여 댄 학살자면서……! 용서 못 해……. 너는…… 너만큼은……!"

그러자.

"변했구나, 리피스."

시드가 안타깝다는 얼굴로 말했다.

"아니, 당연한가. **그런 일**이 있었으니까."

"뭐라고……?!"

"내가 아는 리피스 오르토르라는 남자는…… 지혜롭고 용감하며 왕을 향한 충성심이 넘치는 기사 중의 기사였어. 그 무렵부터 네가 나를 안 좋게 여긴다는 건 눈치채고 있었어. 그래도 나는 너를 줄곧 존경스러운 친구라고 생각했어."

"……?!"

"하지만…… 내가 아는 리피스는 이제 없는 거구나."

스스로 원해서 타락해 버린 자는 시드의 『성자의 피』로도 구할 수 없었다.

그렇기에— 시드는 결의했다.

"끝내자, 리피스."

그렇게 선언하고 시드가 천천히 전투태세를 취했다.

"너는 나를 불충한 놈이라고, 배신자라고 했지? 부정하진 않겠어. 어떻게 말을 꾸미든 결국 내가 아르슬에게 검을 겨눈 건 사실이니까. 너희와 갈라서게 된 건…… 정말 유감이었어. 하지만……."

전투태세를 취하며 시드는 강렬한 의지의 빛이 깃든 눈으로 똑바로 리피스를 보았다.

"그래도 내가 해야 할 일은 똑같아. 예나 지금이나. 나는…… 내 기사도를 다할 뿐이야."

"……뭐……?!"

"리피스. 그 녀석들은…… 학생들은 이 나라의 보물이야. 지금은 아직 다들 햇병아리지만, 언젠가 이 나라를 지탱할 내일의 희망이야. 나나 너 같은 구시대 화석들의 원한과 갈등에 끌어들여도 될 녀석들이 아니야. 그러니— 설령 너에게 만의 정의가 있더라도 나는 하나의 의지를 가지고서 지금의 너를 부정하겠어. 나는 안 죽어. 그 녀석들을 지킬 거야. 덤벼, 리피스. 너를 쓰러뜨리겠어. ……내 기사의 긍지를 걸고서.”

그런 시드의 모습을, 올곧은 눈을 보고.

“닥쳐!”

철컹! 리피스가 검으로 땅을 쳤다.

“네가…… 《야만인》인 네가 기사의 긍지를 논하지 마……! 불쾌하기 짝이 없어!”

“…….”

“그래, 좋아……! 네가 끝까지 본성을 드러내지 않은 건 심히 예상외였지만…… 네가 이 세상에 1초라도 더 존재하는 걸 용납할 수 없어……! 너는 존재하는 것만으로도 내 긍지를 흠집 내……! 없애 주마, 시드! 내 기사의 긍지를 걸고! 그리고 비로소 나는 선언할 거다……. 나야말로 이 세상에서 가장 뛰어난 기사임을……!”

리피스가 검을 뽑고 압도적인 어둠의 마나를 전신에 채워 나갔다.

대기를 일그러뜨릴 듯한 마나압과 존재감이 시드를 삼키고자 덮쳤다.

하지만 시드는 그걸 슬쩍 받아넘기고 리피스에게 조용히 물었다.

“리피스. 기사의 긍지란 건 뭐야? 옛 기사의 원칙에 어째서 긍지에 관한 항목이 없는지…… 모르는 거야?”

하지만 리피스는 듣지 않았다.

"계속 똑같은 말 하게 하지 마······! 《야만인》이─ 기사의 긍지를 논하지 말란 말이다아아아아아아아아아아아─!"

거부하듯 사납게 외치고서.

리피스가 어둠의 마나를 한껏 방출하며 시드에게 달려들었고.

"······!"

만신창이인 시드에게 있어 절망적인 싸움이 시작되려고 한······.

······바로 그때였다.

푹!

갑자기 날아온 무언가가─ 시드와 리피스 사이에 꽂혔다.

리피스는 저도 모르게 경직되어 발을 멈췄다.

그건─ 검 한 자루였다.

엉망으로 녹슨 거무스름한 검.

그래도 시드에게는 왠지 반가운 검이었다.

"이건."

시드는 검이 날아온 방향을 보았다.

그곳에─.

"시드 겨어어어어엉─!"

어째선지 앨빈 일행이 있었다.

블리체 학급뿐만이 아니었다.

루이제를 비롯한 오르토르 학급, 요한을 비롯한 앤서로 학급, 올리비아를 비롯한 뒤란데 학급…… 많은 학생이 모여 있었다.

어째선지 다들 만신창이였고 완전히 피폐해진 얼굴이었다.

"그 검을 써 주세요!"

그런 앨빈의 외침을 듣고 시드의 머릿속에 번뜩 떠오른 것이 있었다.

"이 검은……. 너희…… 설마……?"

~~~~~.

시간은 거슬러 올라가서.

"이곳이 호수의 원천인가……."

요정계 9층의 어떤 산꼭대기 부근에서 솟아나는 샘에 앨빈 일행은 겨우 도착해 있었다.

"저, 정말로 이곳에 그 검이 있을까요……?"

"없으면 곤란해. ……더는 방법이 없어."

불안해하는 텐코의 의문에 대답하며 앨빈은 간절한 심정으로 주위를 둘러보았다.

─흐, 흑요철검이라면…… 있어…….

—이 층에는…… 아주 먼 옛날부터…… 흑요철검이 있어…….

—이 호수에 물을 주는 산 위쪽에…… 무서운, 무서운 요마가 사는 저 산 위쪽에…….

머릿속에 되살아나는 요정들의 말을 반추한 앨빈은 문득 생각했다.

'그러고 보니…… 시드 경은 장난 요정이 자기 검을 훔쳐 갔다고 했지…….'

생각해 보면 여기 있는 검에 대한 시드의 반응도 뭔가 묘했었다.

'요정들이 말한 검과 시드 경의 검…… 역시 뭔가 관계가 있는 것 아닐까……?'

앨빈이 마음 한편으로 그렇게 생각하고 있을 때였다.

"있어요. 저거예요!"

일레인이 가리킨 물속 바위에 검 하나가 꽂혀 있었다.

분명 유구한 시간을 이곳에서 보냈을 검이.

시드가 학생들의 거점을 지키며 싸우는 동안, 앨빈 일행은 어떤 작전하에 행동을 개시했다.

이 작전의 대전제인 『자작나무 성유』의 양은 한정되어 있기에 실력 있고 뜻있는 정예들로 결사대를 만들고, 남은 학생의 최종적인 수호를 각 학급의 교관 기사에게 맡긴 채 앨빈 일행은 몰래 거점에서 출발했다.

나룻배로 호수를 건너고, 호수에 물을 공급하는 개울을 따라 나아갔다.

배회하는 강대한 요마들을 『자작나무 성유』로 피하면서 산을 올랐다.

그렇게 자칫 잘못하면 즉각 전멸하고 끝날 위험한 강행군 끝에…… 앨빈 일행은 목적지에 다다랐다.

이전에 요정검들이 말했던 곳— 어떤 산의 정상 부근에 솟는 샘 근처.

어쩌선지 아득한 옛날부터 수수께끼의 흑요철검이 잠들어 있다는 그곳에서.

앨빈 일행은 마침내 그 검을 찾아냈다.

"해, 해냈어……."

그 검을 본 순간, 앨빈의 눈시울이 뜨거워졌다.

"저 검이 있으면 시드 경의 전력은 올라가……! 꽉 막힌 상황을 뒤집을 열쇠가 될지도 몰라……!"

"하지만…… 역시 쉽지는 않을 것 같네요."

텐코가 식은땀을 흘리며 칼을 들었다.

경계하는 텐코 앞에서.

부글, 부글부글, 하고.

샘의 수면에 대량의 거품이 올라오더니…… 어두운 물속에서 뭔가 거대한 존재가 떠올랐고…….

검에 이르는 길을 막듯 성대한 물기둥을 일으키며 요마가 모습을 드러냈다.

『샤아아아아아아아아아아아아아아아―!』

터무니없는 괴물이었다.

그것은 이 샘의 주인.

반짝이는 은빛 비늘과 아홉 개의 머리와 지느러미를 가진 거대한 뱀 요마였다.

하늘을 뒤덮듯 아홉 머리를 펼치고, 고개를 쳐들어야 할 만큼 커다란 몸을 자랑하는 모습은 마치 거목 같았다.

잘라 낸 순간 복원되는 압도적인 재생 능력, 그리고 때로는 키리무조차 물속으로 끌고 들어가 포식하는 압도적인 사나움과 식욕을 자랑하는 요정계 수서 생태계의 정점.

토벌 평가점 325점― 히드라였다.

"히드라…… 역시나 여기 있었어……!"

나타난 괴물을 올려다보며 앨빈이 이를 갈았다.

토벌 평가점 목록에는 이 층의 지도와 요마들의 대략적인 출현 분포도가 있었다.

그에 따르면 몇십 년 전부터 이곳에 히드라가 눌러살고

있다고 보고되어 있었다.

아무리 요마가 싫어하는 냄새를 내는 『자작나무 성유』를 발랐다지만, 자신의 영역을 침범한 자들을 묵인해 줄 만큼 히드라는 무르지 않았다.

노기와 살의에 찬 야성의 눈이 머리 하나에 두 개씩 총 열여덟 개. 그 눈들이 샘에 모인 학생들을 날카롭게 노려보았다.

"다들 진정해! 높은 점수에 겁먹을 필요 없어……!"

그 위협적인 모습을 올려다보고 동요하는 일동을 앨빈이 진정시켰다.

"점수가 높은 건 재생 능력 때문에 격파하기 어려워서야! 우리는 이 녀석을 쓰러뜨리러 온 게 아니야! 저 검만 챙기면 돼!"

앨빈이 히드라 뒤에 가려진 흑요철검을 가리켰다.

"하지만 이런 게 버티고 있는데 검을 가져가는 건 무리야. ……어떻게든 빈틈을 만들고, 그 사이에 누군가가 결사의 각오로 검을 가지러 갈 수밖에 없어!"

"알고 있어!"

루이제가 각오한 것처럼 외쳤다.

"저 녀석과 직접 싸우는 건 블리체 학급에 맡기겠어! 다른 학급 학생들은 후방에서 요정마법으로 블리체 학급을 엄호해! 그리고 틈을 봐서 내가 검을 가지러 가는 거야. 맞지?!"

"응. 하지만 정말 괜찮겠어? 네가 가장 위험해, 루이제."

"1절만 해!"

앨빈의 물음에 루이제가 내치듯 말했다.

"지금 저것과 간신히 싸울 수 있는 건 너희 블리체 학급밖에 없어! 검은 다른 녀석이 가지러 가야 해! 그리고 나는 썩었어도 신령위야. 너희를 제외하면 이 중에서 가장 잘 움직일 수 있는 건 나야……!"

"……알았어. 너의 각오에 최대급의 경의와 예를 표해."

그렇게 말하고서.

일동을 돌아본 앨빈이 검을 들고 호령했다.

"상황 개시! 나를 따르라!"

"""""오오오오오오오오오오오오오오오오오─!"""""

블리체 학급을 비롯하여 총 스무 명에 가까운 학생들이 하나의 목적을 위해 일제히 움직이기 시작했다.

끝없이 계속되는 참격음. 칼 소리. 고함. 마법이 작렬하는 소리. 세찬 물소리. 요마의 포효.

그런 결사의 사투 끝에 학생들은─.

～～～～～.

"그런가…… 너희. 정말이지 무모한 짓을 했어."

왜 이 검이 이곳에 있는지.

모든 것을 헤아린 시드가 작게 미소 지었다.

시드는 눈을 가늘게 뜨고서 눈앞에 꽂힌 녹슨 검을 바라보았다.

"시드 경! 저는 저의 기사인 당신의 승리를 믿어요!!!"

그런 시드에게 앨빈이 외쳤다.

"어째서 영웅 리피스 오르토르가 암흑기사인지……《야만인》이라고 불리는 당신의 과거에 대체 무슨 일이 있었는지…… 그건 몰라요!"

"그래도 저는…… 저희는 스승님을 믿어요! 그러니까 이겨 주세요!"

텐코도 앨빈에 이어서 생각하는 바를 외쳤다.

그러자.

"시드 경! 이겨 주세요!"

"지지 마세요!"

"시드 경!", "부탁할게요, 시드 경!"

"저희를 위해서가 아니라…… 경을 위해서 이겨 주세요!"

학생들이 저마다 시드에게 격려를 보냈다.

그 모습을 보고 리피스가 부들부들 떨었다.

"왜지……?"

분한 듯 입술을 떨며, 이해할 수 없다는 것처럼 학생들에게 외쳤다.

"왜…… 왜……?! 지금까지 전해져 내려올 텐데?! 무자비하며 잔인무도…… 내키는 대로 사람들을 죽여 댄 악랄한 《야만인》의 전설을 너희도 알 텐데?! 이 남자는 너희가기대하는 그런 남자가 아니야!"

리피스가 지적하자 학생들이 숨을 삼켰다.

"다시 말해 두지만, 《야만인》 일화는 전부 사실이야! 이남자가 예전에 피도 눈물도 없는 진정한 학살자이자 악인이었던 건 사실이라고! 그렇잖아?! 시드!"

"……."

"기사는 진실만을 말하잖아! 그렇다면 기사의 긍지를 걸고 거짓말은 못 하겠지! 자, 어때? 대답해 봐!"

그러자.

"그래, 맞아. 나는―."

시드가 감정을 읽을 수 없는 표정으로 뭔가를 말하려고했지만.

"상관없어!!!"

그런 시드의 말을 앨빈의 외침이 막았다.

"시드 경은 내 기사야! 자기 신하를 못 믿는 주군이 어디있어?!"

그런 앨빈의 말에 호응하여 텐코도 질 수 없다는 듯 외쳤다.

"적어도 저희가 줄곧 보았던 스승님은 정말로 기사 중의 기사였어요! 언제나 긍지 높았고, 누구보다 기사다웠고, 저희를 지켜봐 줬어요……!"

"무엇이 진실인지는 모르겠어……. 하지만 나는 시드 경을 믿어!"

"기사의……「그 힘은 선을 지지한다」! 시드 경은 선이에요! 《3대 기사》인지 뭔지 모르겠지만, 저는 기사로서 맹세를 완수하겠어요!"

흔들림 없는 앨빈과 텐코의 말에 리피스는 압도되었다.

그리고―.

"시드 경, 너는 내게 기사의 긍지가 뭔지 가르쳐 주겠다고 했어……!"

루이제가 외쳤다.

"아직 나는 너한테 아무것도 못 배웠어!!!"

루이제의 그 모습은…… 한 명도 빠짐없이 다친 학생들 중에서도 특히나 심각했다.

양옆에 있는 요한과 올리비아에게 부축받지 않고서는 서 있지도 못할 만큼 상처 입은 상태였다.

"그러니까 이겨! 이겨 줘!!!"

그러자.

시드는 그런 루이제의 모습을 힐끗 보고 뭔가를 알아차린 것처럼 씩 웃었다.

"가르쳐 줄 건 더 없어."

"……뭐?"

어안이 벙벙해져서 눈을 끔뻑이는 루이제를 내버려 둔 채. 시드는 검으로 걸어가 손잡이를 잡고…… 그것을 뽑았다. 검을 머리 위로 들고 반갑다는 눈으로 바라보았다.

"또 너와 함께 싸우게 될 줄은 몰랐는데. 예전에 나는 두 번 다시 너를 휘두르지 않겠다고 맹세했지만…… 다시 너와 함께 싸워 보고 싶어졌어. 「**믿는다**」는 말을 들었어. 그렇다면 그 믿음에 부응하는 게 기사잖아?"

그때, 시드는 문득 깨달았다.

검을 쥔 순간, 시드의 마나가 회복되었다.

미미하긴 하지만 검에서 마나가 흘러들었다.

'이건……. 그런가…….'

학생들이 자신들의 요정검을 통해 이 검에 미리 마나를 넣어 준 것이다.

한두 명으로는 효과가 없다. 아마 여기 모인 학생 대부분이 이 검에 마나를 넣었을 터다.

전설 시대의 기사인 리피스를 상대하기에는 당연히 불안한 양의 마나지만…….

"충분해. 쓰기로 하지."

빙글! 척!

시드는 솜씨 좋게 손잡이를 회전시켜서 검을 역수로 고쳐 잡았다.

"「기사는 진실만을 말한다」. ……「반드시 이긴다」."

그렇게 선언하고서.

시드는 다시 리피스에게 몸을 돌리고 자세를 깊이 낮췄다.

그런 시드에게 리피스는 증오스럽다는 듯 말했다.

"왜지…… 왜 항상 너만……! 너만 평가받는 거야?! 왜 모두에게 칭송받으며 떠받들리는 건데?! 지지받는 건데?! 왜 나는 항상 정당하게 평가받지 못하는 거냐고! 왜, 왜!"

"……."

격류처럼 밀려드는 리피스의 증오와 분노를 시드가 받아넘기고 있으니.

"큭, 후후…… 후후후, 뭐, 좋아……!"

리피스가 검을 들고 어둠의 마나를 장절하게 높여 나갔다.

"송사리들이 필사적으로 어디선가 가져온 그 녹슨 칼을 가지고 뭘 어쩔 건데?! 그게 나를 상대하는 데 얼마나 도움이 되겠어……?!"

"……."

"죽여 주마, 시드……. 너만큼은 숙여 주겠어……. 내 기사의 긍지를 걸고!"

그러자.

별안간 시드가 입을 열었다.

"리피스. 한 번 더 물을게. 기사의 긍지란 건 뭐야? 옛 기사의 원칙에 어째서 긍지에 관한 항목이 없는지 모르는 거야? 학생들의 모습을 보고서도…… 모르겠어?"

경직된 리피스에게 시드가 알려 줬다.

"기사의 「긍지」는 내가 아닌 다른 무언가를 위해 내세우는 거야. 결코 자신을 위해 내세우는 게 아니야."

"뭐……?"

"그리고 기사는 그런 「긍지」를 스스로 자랑하지 않아. ……왜냐? 새가 하늘을 날 수 있음을 자랑해? 사자가 자신의 강함을 자랑해? 기사는— 긍지를 자랑하지 않아."

"무슨…… 뭐…… 뭐……."

"리피스, 너의 그건 「긍지」가 아니야. 「허영」이지."

그 칼날 같은 말은 리피스에게 치명상을 줬다.

"뭐라고오오오오오오오오오오오오오오오오오오오오오—?!"

격노하여 시드를 저주해 죽이겠다는 듯 원한에 차 포효했다.

"《야만인》이이이이이이이이이이! 다 안다는 것처럼 말하지 마아아아아아아아아아아아아아아—! 그딴 녹슨 칼을 든 것 가지고오오오오오오오오오—! 이긴 줄 아는 거냐아아아아아아아아아아아아아아—! 더는 봐주지 않겠어……! 봐줄 것 같아?! 내 최대 최강의 요정마법…… 대기도로 끝장을 내 주마⋯⋯!"

한바탕 소리를 지르고서 리피스가 검을 머리 위로 들고—
고대 요정어로 외쳤다.

"그대는 만물의 천칭을 지배하는 올빼미⋯⋯!"
<small>유 어 원 콘타일 밸레스</small>

그 순간.

왈칵왈칵, 하고 허공에서 뭔가가 흘러넘쳤다.

물이었다. 먹물처럼 새까만 물이 간헐천처럼 솟아나 공
간 법칙과 물리 법칙을 무시하고 세계에 고여 나갔다.

세계가— 점차 검정에 수몰되었다.

"변덕스레 그 깃털을 우익의 그릇에 올리어—."
<small>오와윔 무스 페즈 온 팔레트 라트</small>

시드의 복사뼈로, 무릎으로, 허리로, 가슴으로⋯⋯ 검은
물의 수위가 점점 올라갔다.

한편 올빼미 경의 존재감은 한없이 팽창했다. 어둠의 마
나가 흘러넘쳤다.

"좌익의 그릇으로 모든 것을 짓뭉개는 자라!"
<small>크럭스 에브링 위즈 팔레트 레트</small>

이윽고— 올빼미 경의 기도가 완성됨과 동시에 세계는
어둠색 물에 완전히 수몰되어 버렸다.

시드의 전신이, 올빼미 경의 선신이, 어둠색 불에 잠겼다.

마치 어둠의 심해 속 바닥의 바닥 같았다.

하지만 두 사람의 모습은 어둠 속으로 사라지지 않고 어

둠 속에 떠 있는 것처럼 보였다.

"하하하하…… 봤나? 이게 바로 나의 대기도【마(魔)의 섭리의 새장】……! 불후의 충성으로 그분을 섬김으로써 손에 넣은 최강의 힘이다! 너는 이제 끝이다, 시드으으으으으으으─!"

올빼미 경이 의기양양하게 선언했다.

"이 세상의 힘의 섭리는 이제 전부 내 수중에 들어왔다! 이 검은 물로 채워진 세계의 중력을 나는 자유자재로 지배할 수 있어! 알겠나? 시드! 이제 내가 마음먹기만 하면 너는 무한한 중력에 깔려서 압사하는 거야……!"

"……."

"이제 너는 도망칠 수 없어……! 그야말로 필중 필살의 마법이지……! 이해했나? 시드……. 너와 나의 격차를……! 하하하……! 하하하하하하하─!"

다 이겼다는 듯 리피스가 떠들썩하게 웃었다.

"……그게 어쨌는데?"

시드는 시시하다는 것처럼 중얼거렸다.

"하찮은 힘에 빠져서는. 예전의 너는 더 강했어. 너의 무섭도록 뛰어난 검술은 이딴 시시한 마법을 아득히 넘어섰었어."

"구차해……!"

시드를 노려보는 리피스의 눈이 더 치켜 올라갔다.

"너의 헛소리는 이제 지긋지긋해……! 그 입을 영원히 막아 주마……! 깔려 죽어 버려어어어어어어어어어어어어어어—!"

그리고 리피스가 검을 아래로 휘둘렀다.

그 순간.

쿵……!

시드를 짓뭉개려고 세계가 시드에게 중력을 가했다.

시드의 무게가 순식간에 몇백 배, 몇천 배, 몇만 배로 기하급수적으로 팽창하여—.

시드가 납작하게 깔리려고 한—.

—바로 그 순간.

"—오라!"

그런 선언과 함께 무시무시한 소리와 빛이 주위에 메아리쳤다.

하늘에서 한 줄기 번개가 내려와 시드가 역수로 든 검에 떨어진 것이다.

눈부신 낙뢰의 빛줄기는 세계를 채우고 있던 어둠을 완전히 갈랐고—.

촤악!

어둠이 허무하게 흩어지면서 세계는 순식간에 원래 모습을 되찾았다.

"……허?"

리피스가 얼떨떨해했다.

"……."

빛과 소리를 내며 장절하게 번개가 터지는 검을 역수로 들고서 시드는 그런 리피스를 바라보았다.

"마, 말도 안 돼……. 내, 내 무적의 대기도가, 이렇게 간단히 깨지다니……?"

"장난은 끝이다, 리피스…… 간다."

시드가― 한 줄기 섬광이 되어 리피스에게 달려갔다.

"우, 우오오오오오오오오오오―?!"

리피스가 순간적으로 내민 검과―.

"흡―!"

격렬한 소리를 내며 번개가 넘실대는 시드의 검이―.

정면으로 격돌했다.

어마어마한 충격음이 발생했다.

엄청난 압력과 충격파가 폭풍이 되어 주위를 휩쓸었다.

"아, 니……?!"

리피스가 경악했다.

대기도가 깨지긴 했어도, 리피스는 자신의 검의 힘을 극한까지 「무겁게」 만들었다.

물론 시드의 공격은 반대로 극한까지 「가볍게」 만들었다.

이 시점에 제대로 된 승부가 될 리 없었다.

그런데— 리피스와 시드의 검의 위력은 호각이었다.

시드는 전혀 밀리지 않았고, 오히려 리피스의 몸이 시드의 압력에 밀려서 튕겨 날아갈 것 같았다.

"말도 안 돼……! 왜지. 이게 어떻게 된 거야……?!"

리피스는 필사적으로 검을 되받아쳤다. 역수로 검을 휘두르는 시드와 몇 번씩 맞부딪치고 검을 맞대며 이 이해할 수 없는 현상의 정체를 생각했다.

하지만 굳이 생각할 필요도 없었다.

나올 수 있는 답은 하나밖에 없기 때문이다.

시드의 일격은— 리피스의 마법의 힘을 초월하여 「무거운」 것이다.

"말도 안 돼…… 말도 안 돼애애애애애애—! 너…… 검을 쥔 것만으로도 이렇게나 달라지는 건가……?!"

칼날과 칼날이 찰나에 몇십, 몇백 번씩 맞물렸다.

리피스의 검과 시드의 검이 격렬하게 교차하고 엇갈렸다.

충격음. 충격음. 충격음. 충격음. 충격음.

리피스는 검의 마법의 힘을 더욱 높여서 시드를 밀어내려고 했다.

하지만— 시드를 이길 수 없었다. 시드를 밀어낼 수 없었다. 꺾을 수 없었다.

그러기는커녕…….

"맙……소사…… 검이…… 검이……?!"

검과 검이 정면으로 격돌하고 맞부딪쳐 대기를 진동시킬 때다.

시드의 검이— 연마되었다.

유구한 세월 속에서 슬었던 녹이 벗겨지고, 심하게 흠집이 난 도신이 다시 단련되며, 예리하게 갈렸다. 다시 단조되었다.

번개에 휩싸인 시드의 검이— 다시 태어났다. 재생되어 갔다.

빠르게 예전 모습을 되찾아 갔다.

"「그 검게 빛나는 철은 하늘에서 날아오는 번개로만 단련할 수 있다」."

"설마…… 그 검은……?!"

리피스는 시드의 학생들이 가져온 검의 정체를 깨달았다.

"젠자아아앙! 이딴 걸…… 이딴 걸 가져오다니이이이이이이이이—!"

큰일이다.

위험하다.

저 검이 완전히 부활하기 전에 시드를 죽여야 했다.

리피스는 정신없이 검을 놀렸다.

하지만— 그 모든 공격이 시드의 검을 부활시킬 뿐이었다.

이윽고—.

"아, 아아아아아아······?!"

리피스 앞에서 시드의 검이 속수무책으로 완전히 부활했다.

그 검은— 칠흑색 도신을 가진 장검이었다.

마치 흑요석처럼 빛나는 흑검.

간소한 디자인은 투박했으나— 아름다움도 느껴졌다.

특별히 이름은 없었다.

하지만 그건 틀림없이, 그 옛날 《야만인》 시드 블리체가 썼다는 흑요철검이었다.

"그런다고 뭐가 달라질 것 같아아아아아아아아아아아아아아아아아아아아아아아아아—?!"

그건 오기일까. 아니면 그가 말한 긍지가 이루어 낸 일일까.

이 지경에 이르러서 리피스의 어둠의 마나압이 이전과는 비교가 안 될 만큼 팽창했다.

검의 힘을 조작하는 마법 출력이 갑자기 커졌다.

리피스의 검의 위력이 어마어마하게 「무거워」지고, 시드의 검의 위력은 극한까지 「가벼워」졌고—.

기이이이이이이잉!

리피스의 검이 그 위력으로 시드를 성대하게 넉백시켰다.

"—윽?!"

시드는 발바닥으로 지면을 그으며 그대로 수십 미터 후퇴했다.

"내 검은 무적이야……! 너의 검이 아무리 큰 위력을 내더라도 「가볍게」 만들어 버리면 문제없어! 극한까지 0에 근접시키면 아무런 문제도 없어! 너는…… 나한테 절대 못 이긴다고!"

막판에 리피스는 더욱 힘을 해방하여 한층 높은 경지에 이르렀다.

피아의 전력 차이는 확실히 다시 역전된 것처럼 보였지만—.

"소용없어. 네가 졌어, 리피스."

시드는 다시 태어난 검을 역수로 든 채 자세를 깊이 낮췄다.

모든 것을 안다는 듯한 시드의 그 행동은 리피스의 신경을 한없이 건드렸다.

더는 참을 수 없었다.

"시끄러워! 내가 더…… 너보다 더 강해애애애애애애애애애애애애애애애애애애애—!"

리피스는 떼쓰는 아이처럼 소리 지르고서.

검을 치켜들고— 시드에게 돌진했다.

전신전령의 마나를 불태워 가장 빠르게, 거기다 검의 힘까지 완전히 개방한 최대 최강의 일격을 가했다.

"……."

그런 리피스의 공격을 시드는 여유롭게 응시했다.

극한까지 집중하여 시간이 완만하게 흐르는 것처럼 느껴지는 공간 속에서.

무시무시한 속도로 육박하는 리피스를— 그저 응시했다.

'……벗이여.'

그 찰나.

시드는 전설 시대의 풍경을 떠올렸다.

'스스로 원해서 암흑기사로 다시 태어난 너는…… 내 피의 힘으로도 구할 수 없어.'

시드가 찰나의 순간 엿본 그 풍경 속에는.

경애하는 주군, 아르슬이 있었고.

세 기사— 리피스 오르토르, 로거스 뒤란데, 루크 앤서로가 있었고.

그리고 당연히 자신도 거기 있었다.

늘 어디서나 함께 다 같이 전장을 달리던— 그런 나날의 풍경.

아픔도, 기쁨도, 슬픔도, 모든 것이 뜨거웠던 그리운 청춘의 나날.

하지만.

그것은 이제 아득한 옛날이다. 돌아오지 않을 나날이다.

—그렇기에.

'잘 가라.'

결별의 말을 가슴에 품고서 시드가 달렸다.

"―【천곡(天曲)】."

벼락 떨어지는 소리가 났다. 시야가 세차게 명멸했다.

시드가 대지에 그은 번개선.

그것을 따라 시드는 뇌속(雷速)으로 세계를 달렸다.

리피스의 몸통에 그은 번개선을 따라 뇌속으로 검을 넣었다.

전신전령의 힘을 담아 역수로 검을 휘두르며― 리피스와 엇갈렸다.

뇌속에 실린 뇌속― 즉, 신속(神速).

"커. 헉―!"

리피스의 몸이 순식간에 상하로 잘렸다.

아무리 가벼워져도 면도칼의 예리함은 건재한 것처럼.

시드의【천곡】은 그 초월적인 속도와 예리함만으로 리피스를 양단했다.

승패는 갈렸다.

어둠의 마나 입자로 부서져 흔적도 없이 소멸하는 리피

스를 등진 채.

검을 휘두른 자세로 잔심 상태에 들어간 시드가 작별의 말을 바쳤다.

이렇게 길이 엇갈려 버렸지만.

일찍이 같은 왕을 주군으로 섬겼던 전우에게.

자신의 등 뒤에서 사라지는 벗에게.

그저 조용히 애도를 올렸다.

"이승은 요람. 만물을 도는 마나의 아득한 여행길에서 죽음은 끝이 아니라 시작이니. ……평안히 잠들라."

이리하여─.

합숙 기간에 벌어진 소동은 막을 내렸다.

번개에 갈라진 그 일대의 안개가 한순간 걷혔고.

새날을 알리는 아침 햇살이 그리로 눈부시게 비쳐 들었다.

종장 새로운 출발

시간은 흘러서―.

""""""우오오오오오오오오오오오오오오오오오오오―!"""""

오늘도 역시나 갑옷을 입고 교련장을 달리는 학생들이
있었다.

이제 그건 일상적인 광경이었다.

하지만 달리고 있는 건 블리체 학급 학생들뿐만이 아니
었다.

요한과 올리비아 등 다른 학급 학생들의 모습도 있었다.

이번 일로 월이라는 기술의 중요성을 깨달은 각 학급의
교관 기사들은 월을 익히고 싶어 하는 학생에게는 지도를
해 달라고 시드에게 머리를 숙였다.

그 대신 교관들도 융통성을 발휘해서 블리체 학급 학생
들에게 요정마법을 가르쳐 주겠다고 했다.

당연히 시드는 흔쾌히 받아들였다.

여전히 허영심을 못 버리고 블리체 학급을 깔보는 학생
과 교관은 많았다.

특히 시드와 엮일 일이 많지 않은 상급생과 그 교관들은 그런 경향이 현저했다.

하지만 그렇지 않은 학생들도 착실히 늘어나고 있었다.

"헉—! 헉—! 콜록콜록!"

"루, 루이제…… 무리하면 안 돼. ……뭐, 원래부터 무리한 훈련이지만."

앨빈이 뒤따라오는 루이제를 돌아보았다.

"시, 시끄러워! 겨우콜록! 너희 페이스를콜록콜록! 따라가게…… 헉, 됐다고……! 좀 더……."

"고집 센 사람이네요."

텐코가 어이없어했다.

"우리도 태평하게 있을 수 없겠어."

"맞아요."

크리스토퍼와 일레인이 쓴웃음을 지었다.

"흥…… 마음대로 하라지."

"그래도그래도, 달리기 동료가 늘어나서 다행이에요!"

세오도르는 관심 없다는 듯 콧방귀를 뀌었고, 리네트는 기뻐했다.

"시, 시끄러워! 여유 부릴 수 있는 것도 지금뿐이야! 두고 봐! 너희 같은 지령위 송사리 따위는 금방 추월해 줄 테니까!"

"흥, 바라는 바예요. 지지 않을 거예요!"

"아하하……."

텐코가 도발에 응했고, 앨빈이 쓴웃음을 지었고.

"……."

그런 광경을— 시드는 바라보고 있었다.

"……조금씩 바뀌기 시작했으려나? 이 학교의 기사들도."

그런 말을 중얼거리며 허리로 힐끔 시선을 내렸다.

그곳에 검 한 자루가 매달려 있었다.

요정계에서 손에 넣은 흑요철검이었다.

그리고 시드는 그 검이 불러일으키는 기억을 잠시 떠올렸다.

~~~~~.

"시드 경, 정말로 검을 버릴 거야?"

어느 산꼭대기, 《검의 호수》의 원천.

그곳에 있는 바위에 검 한 자루를 꽂았을 때.

내 영세의 주군이자 빛인 아르슬이 아쉽다는 듯 말했디.

"혹시 나 때문이야? 내가 너의 쌍검 중 하나를 부러뜨려서…… 내가 《쌍검의 기사》인 너를 죽여서 그래? 너는 요정검을 안 가지고 있어. 너에게 그 쌍검은 무엇보다 소중한 것이었을 텐데…… 나는……."

"그건 아니야."

나는 즉답했다.

"네가 죽인 건 《쌍검의 기사》가 아니야. 《야만인》이지."

"시드 경……."

"확실히 이 검은 나에게 소중한 검이야. 내 손은 피로 얼룩져 있어. 그래서 요정검은 나를 두려워하고 거부해. 그런 나에게 이 검이 전사로서의 생명선인 건 틀림없어. 하지만…… 이제 나는 이 검을 휘두르지 않을 거야."

"……."

입을 다문 아르슬에게 나는 계속 말했다.

"앞으로는 나 자신이 검이야. 그편이 생명의 무게를 느낄 수 있어. 검을 휘두르는 의미를 잊지 않을 수 있어. 악귀는 내 마음속 어딘가에 아직 숨어 있어. 하지만…… 나는 이제 틀리지 않을 거야. 두 번 다시 악귀로는 돌아가지 않아."

"그런가……. 그게 너의 각오인가."

"그래. 고마워, 아르슬. 네 덕분에 지금의 내가 있어. 쓸데없이 강한 이 힘을 휘두르는 의미를 나한테 줘서 고맙게 생각해. 과거는 결코 지울 수 없지만…… 나는 너와 이 나라의 미래를 위해 싸울 것을 맹세하겠어."

그렇게 말하고서.

나는 그 자리를 뒤로하려고 발길을 돌렸다.

그런 내게 아르슬이 말했다.

"그럼 다른 사람들한테는 이렇게 말해 둬. 「내 검은 장난 요정이 훔쳐 갔다」고."

"장난 요정? 왜?"

"장난 요정은 사람이 소중히 여기는 물건을 멋대로 훔쳐 가는 곤란한 요정이지만. 언젠가 싫증 나서 반드시 돌려주잖아?"

"……."

"만약 언젠가. 모두가 진심으로 기사로서의 너를 믿고, 너도 너 자신을 믿을 수 있는…… 그런 때가 오면. 그때는 다시 그 검을 잡아 주지 않을래? 역시 검을 휘두르는 너는 반할 만큼 강하고, 그리고 멋있으니까."

"……."

"괜찮아. 그때가 되면 너는…… 두 번 다시 악귀가 되지 않을 거야. 내가 보증하겠어."

"……생각해 둘게."

~~~~~.

"구제할 길 없는 악귀였던 나조차 바뀌었어. 무한한 가능성을 간직한 학생들이 안 바뀔 리 없지."

그런 말을 하고서.

　시드는 그 자리에 드러누워 다리를 꼬고 사과를 먹기 시작했다.

　————.

　그리고 계절은 돈다.

퍼스트 스콰이어
　1학년 종기사의 모든 수업 과정이 종료된다.

세컨드 스콰이어
　앨빈의 2학년 종기사 승격.

　그리고 새로운 1학년 종기사들의 입학.

　캘바니아 왕립 요정기사 학교는 새바람을 맞이한다. 시드와 기사 지망생들의 새로운 출발이 지금 시작되려 하고 있었다.

■ 작가 후기

　안녕하세요, 히츠지 타로입니다.

　『옛 원칙의 마법기사』 3권이 무사히 간행되었습니다! 편
집부 및 출판 관계자분들, 독자님들, 정말 감사합니다!

　이 이야기도 조금씩 진행되고 있습니다. 이번에는 기사
의 긍지에 관한 이야기입니다.

　기사는 단순한 직업 군인과는 다릅니다. 주군을 위해,
백성을 위해 목숨을 거는 존재고, 만인이 동경하는 대상이
면서 동시에 히어로입니다.

　그런 기사들은 일반적으로 명예와 주군에 대한 충성심을
무엇보다 숭상하며 자신의 긍지로 삼습니다. ……그런 이
미지죠. 기사에게 긍지란 생명과도 같습니다.

　하지만 이 이야기의 주인공 시드가 말하는 『옛 기사의
원칙』에는 놀랍게도 『기사의 긍지』에 관한 항목이 없습니
다. 기사에게 가장 중요한 것일 텐데…… 내체 이유가 뭘
까요?

　이번에도 시드가 뒷모습으로 그 답을 확실하게 보여 줍

니다! 기사의 긍지란 무엇인가? 아무쪼록 직접 확인해 주세요!

등장인물도 여러모로 늘어났고, 지금부터 더더욱 재미있는 이야기를 만들어 나갈 테니 따뜻한 눈으로 지켜봐 주시면 좋겠습니다.

그나저나 시드는 변함없이 강하네요~ 뭐랄까, 이 녀석이 있으면 괜찮다는 안도감이 엄청나요. 오히려 이 녀석과 싸워야 하는 적이 불쌍해요. 가끔은 이런 주인공을 쓰는 것도 즐겁습니다. 그럼 다음은 어떻게 활약시킬까, 아이디어는 이것저것 있으니 앞으로도 시드의 활약을 기대해 주세요!

또한 저는 근황과 생존 보고 등을 twitter에 올리고 있습니다. 응원 메시지나 작품 감상 등을 보내 주시면 단순한 히츠지는 크게 기뻐하며 힘낼 겁니다. 유저명은 『@Taro_hituji』입니다.

그런고로 아무쪼록 앞으로도 잘 부탁드립니다!

히츠지 타로

옛 원칙의 마법기사 3

초판 1쇄 발행 2022년 9월 10일

지은이_ Taro Hitsuji
일러스트_ Asagi Tohsaka
옮긴이_ 송재희

발행인_ 신현호
편집장_ 김승신
편집진행_ 권세라 · 최혁수 · 김경민 · 최정민
편집디자인_ 양우연
관리 · 영업_ 김민원

펴낸곳_ (주)디앤씨미디어
등록_ 2002년 4월 25일 제20-260호
주소_ 서울시 구로구 디지털로 26길 111 JnK디지털타워 503호
전화_ 02-333-2513(대표)
팩시밀리_ 02-333-2514
이메일_ lnovellove@naver.com
L노벨 공식 카페_ http://cafe.naver.com/lnovel11

FURUKI OKITE NO MAHO KISHI Vol.3
ⓒTaro Hitsuji, Asagi Tohsaka 2021
First published in Japan in 2021 by KADOKAWA CORPORATION, Tokyo.
Korean translation rights arranged with KADOKAWA CORPORATION, Tokyo.

ISBN 979-11-278-6543-6 04830
ISBN 979-11-278-6372-2 (세트)

값 7,800원